Photoshop CS6

Técnicas de retoque y montaje

Photoshop CS6

Técnicas de retoque y montaje

José María Delgado

GUÍAS PRÁCTICAS

© EDICIONES ANAYA MULTIMEDIA (GRUPO ANAYA, S.A.), 2013
Juan Ignacio Luca de Tena, 15. 28027 Madrid
Depósito legal: M. 29.745-2012
ISBN: 978-84-415-3252-6
Printed in Spain

*Quiero dedicar este libro a mi mujer Cristina
y mis tres diablillos, Nacho, Carlos y Fátima
con todo el cariño.*

Agradecimientos

Desde esta página quiero agradecer a Víctor Manuel Ruiz Calderón de Anaya Multimedia la posibilidad de trabajar en este proyecto.

Índice

Introducción

Mi primera experiencia con una cámara digital fue hace ya bastantes años. Se trataba de una Mavica con un CDD de 350.000 píxeles, sí, sí, aún faltaban algunos años para llegar a los megapíxeles, y guardaba las fotografías en un disquete. Su resolución máxima no superaba los 640x480 pero en aquellos momentos era de lo mejorcito que podías encontrar, toda una revolución. Trabajábamos en un diario deportivo en Internet y puede imaginar la ventaja que suponía ir a cualquier evento deportivo, hacer las fotos y enviarlas por correo electrónico a la redacción junto con la crónica del evento.

También por esa época trabajábamos con un Photoshop 4 que ni mucho menos contaba con las posibilidades para el tratamiento digital de imágenes que dispone en estos momentos. Más bien se trataba de una herramienta de pintura enfocada hacía el mundo del diseño y con la que podíamos corregir algunos defectos de nuestras fotografías pero poco más.

Desde entonces hasta ahora tanto la fotografía digital como Photoshop han cambiado mucho, y esto hace que cada día busque nuevas posibilidades, nuevos efectos y nuevas combinaciones para sorprender.

Cómo usar este libro

¿Es éste su libro?

El libro que tiene entre sus manos está dirigido a todos aquellos usuarios de cámaras digitales que dan sus primeros pasos en este apasionante mundo.

Tiene como principal objetivo mostrar las innumerables posibilidades que ofrece el tratamiento digital de imágenes a la hora de corregir y mejorar nuestras fotografías para conseguir instantáneas perfectas.

El propósito puede parecer complicado pero le recomendamos que lo convierta en un gran reto.

Es cierto que los inicios pueden resultar algo complejos, pero a medida que sus conocimientos aumenten, también crecerán sus ganas por seguir aprendiendo y los deseos de continuar adentrándose en las inagotables fuentes del tratamiento digital de imágenes.

Es evidente que la oferta de libros dedicados a Photoshop es realmente amplia y el motivo esta igualmente claro, se trata de la mejor herramienta de retoque fotográfico y diseño que existe actualmente en el mercado. Sus posibilidades son increíbles en áreas tan distintas como el diseño industrial o los laboratorios de fotografía.

El libro que tiene entre sus manos no pretende ser un libro más de Photoshop, la idea es recoger aquellos aspectos relacionados con el retoque fotográfico con el objetivo de mostrar su gran potencial a la hora de mejorar y tratar cualquier imagen.

Qué necesita saber

En principio, para sacar todo el partido a este manual tan sólo necesita disponer de los conocimientos básicos para manejarse en cualquier programa que funcione bajo el entorno Windows. Es decir, tareas habituales como hacer clic, o doble clic, abrir carpetas, cortar y pegar, o arrastrar. Con respecto a Photoshop, obviaremos los aspectos más básicos del programa, dando por hecho que dispone de unos conocimientos mínimos sobre la aplicación: interfaz, herramientas fundamentales, capas, etcétera.

Es obvio, que si dispone de ciertos conocimientos sobre fotografía le resultará mucho más sencillo entender algunos de los aspectos relacionados con Adobe Photoshop. Pero tampoco debe preocuparse si este no es su caso, ya que intentaremos describir poco a poco los distintos conceptos que necesitemos para trabajar con el programa de forma clara y sencilla.

En resumen se trata de un libro con el que esperamos que se divierta mucho al mismo tiempo que le permitirá mejorar el aspecto de sus fotografías.

Organización del libro

Para que tenga una idea mucho más clara de los contenidos que trataremos a lo largo de las siguientes páginas, a continuación enumeramos los más importantes:

- Resumiremos los conceptos más importantes del programa y hablaremos sobre temas relacionados con la fotografía digital, con el propósito de poner las bases del mundo en el que nos moveremos a lo largo de libro.
- Si ya es usuario de Photoshop, conocerá la importancia de las máscaras y capas. Aquí repasaremos los conceptos más importantes pero también descubriremos nuevas e interesantes características.
- El siguiente paso irá encaminado hacia los usuarios de cámaras digitales y la forma de corregir los problemas que podemos encontrar en nuestras fotografías.
- El color y todas sus posibilidades es uno de los temas más complejos y a la vez más apasionantes del Photoshop. En un extenso capítulo conoceremos todos los detalles sobre este aspecto del programa.

- Si tuviéramos que elegir la característica más popular de Photoshop, sin lugar a duda diríamos los filtros. En este manual, al tratar temas avanzados del programa, no hemos querido limitarnos a enumerar las diferentes categorías y modelos de filtros. En lugar de esto, nos adentramos más en aspectos menos conocidos y describimos el propósito de la mayoría de las opciones disponibles para cada filtro.
- El formato RAW se ha convertido ya en el nuevo "Negativo Digital" las posibilidades que ofrecen este tipo de archivos unidos a las herramientas incluidas para su tratamiento en Photoshop, hacen una combinación perfecta para fotógrafos y apasionados del retoque.
- Las imágenes HDR permiten mostrar matices imposibles y trabajar con ellas plantean nuevos retos. Dedicaremos un capítulo a ver como podemos crearlas y tratarlas desde Photoshop.
- Adobe Bridge se trata de una pieza fundamental dentro del esquema de trabajo de Photoshop para mejorar la organización así como la clasificación de nuestras fotografías.

La organización de este libro está planteada de modo que la curva de aprendizaje sea progresiva y el avance en el conocimiento de la aplicación no suponga ningún problema.

Con todos los conocimientos que obtendrá después de leer y practicar con todos los aspectos propuestos en este libro, no tendrá ningún problema en abordar cualquier proyecto de retoque fotográfico. ¡Ánimo!

Convenios empleados en este libro

Las combinaciones de teclas que en la pantalla aparecen relacionadas con el signo más, por ejemplo Ctrl+U, en este libro aparecen relacionadas con un guión e impresas en negrita, por ejemplo, **Control-U**.

Los nombres de botones y combinaciones de teclas aparecen en negrita para facilitar su identificación; por ejemplo, el botón **Guardar**.

Los nombres de comandos, cuadros de diálogo, menús y submenús aparecen con un tipo de letra diferente para facilitar su identificación; por ejemplo, el menú Ventana.

Los comandos consecutivos para seleccionar aparecen separados por el signo mayor que (>) y en el orden de la selección. Por ejemplo, Archivo>Guardar como.

En el libro aparecen resaltados una serie de temas o acontecimientos extraordinarios de la siguiente forma:

Nota: *Comentarios o noticias fuera de texto.*

Advertencia: *Información importante a tener en cuenta para la integridad del trabajo o del sistema.*

Truco: *Consejo o información que puede facilitar un determinado trabajo.*

Fotografía digital

1

1.1. Introducción

La evolución de la fotografía digital en los últimos años es de ese tipo de fenómenos que difícilmente se puede explicar. Ahora resulta anecdótico encontrarnos frente a cualquier monumento o edificio singular y observar como alguien utiliza una máquina de película. Entre las causas de este fenómeno encontramos argumentos lógicos como la bajada de precio de las cámaras digitales, el aumento de prestaciones, y por qué no, la rápida adaptación que han sufrido los laboratorios fotográficos, en los que en estos momentos podemos llevar la tarjeta de memoria de nuestra cámara y en unos minutos tener una copia impresa de las fotos que deseemos.

Aunque damos por supuesto que conocerá muchos de los aspectos que definen el concepto de imagen digital, hemos creído conveniente repasar algunos conocimientos con el propósito de refrescar nuestra memoria y afrontar con mayor garantía el resto de contenidos abordados en este libro.

> **Nota:** *Muchos de los conocimientos planteados en este capítulo no sólo le serán muy útiles para trabajar con Photoshop, también le servirán para trabajar con cualquier otra herramienta de diseño o tratamiento digital de imágenes.*

1.2. Prevenir antes que curar

No nos cansaremos a lo largo de este libro de alabar las posibilidades de Photoshop en el ámbito del retoque fotográfico, pero aún así tiene ciertas limitaciones y por este motivo queremos dedicar un capítulo a mostrar algunos consejos y trucos para conseguir buenas fotos. El objetivo no es otro que obtener imágenes con las que resulte mucho más sencillo trabajar en procesos de edición o retoque. Por ejemplo, si hemos tomado una fotografía a contraluz y el sujeto principal ha quedado demasiado oscuro, podremos atenuar este problema con Photoshop aumentando el contraste y la luminosidad, aunque nunca tendremos una imagen perfecta ya que la foto original no captó todos los detalles necesarios.

Aunque existen muchos parámetros comunes, cada modelo de cámara tiene sus propias características y en función de la óptica, el tipo de flash o la calidad del CCD obtendremos fotografías en las que predominen distintos componentes. Si bien es cierto que los consejos que comentaremos a continuación son muy genéricos, lo mejor es probar nuestra cámara, hacer muchas fotos y ensayar en distintas condiciones para conocer bien su comportamiento.

1.3. Cómo funciona una cámara digital

En una cámara analógica lo tenemos más o menos claro, la luz entra a través de la lente e incide sobre la película que a su vez tiene un tratamiento químico fotosensible que permite registrar la imagen. En el caso de los sistemas digitales de fotografía la primera parte no varía, es decir, la luz llega a través de la lente de la cámara, pero en esta ocasión, es un pequeño dispositivo electrónico denominado CCD (Coupling Charge Device) el que se encarga de convertir la luz en una señal eléctrica. Este sensor dispone de miles de pequeñas células fotosensibles de distintas formas que recogen la luz recibida y la envía a un circuito electrónico que interpreta esta formación, mostrando en cada caso la imagen que deseamos capturar con la cámara. En la figura 1.1 podemos ver el interior de una cámara digital.

1.4. La luz

La luz puede ser nuestro mejor aliado pero también nuestro peor enemigo. Dicen los fotógrafos profesionales que el único secreto para hacer buenas fotos es dominar la luz. Dicho de este modo parece sencillo pero todos sabemos que en la práctica no es así.

Figura 1.1. Sección de una cámara digital.

La primera cuestión que debemos saber es que no se trata de tener siempre la mayor cantidad de luz sino de aprovecharla lo mejor posible en cada momento. Como ejemplo práctico diremos que en el caso de la fotografía al aire libre, las mejores condiciones de luz tendremos que buscarlas justo después del amanecer o antes del atardecer. Tampoco se trata de llenar de focos y flashes una habitación; mejor estudiar lo que deseamos fotografiar y buscarle la luz adecuada para que acentúe aquellas facetas que nos interesa plasmar en la imagen. En general, a continuación se indican algunos trucos y consejos relacionado con la luz:

- Los días algo nublados son perfectos para realizar fotografías al aire libre ya que no hacen tan pronunciadas las sombras y ofrecen unos colores bastante neutros.
- En situaciones de mucha luz, las sombras y los reflejos pueden estropear cualquier fotografía, por lo que debemos intentar buscar distintos ángulos hasta encontrar el más adecuado. Los filtros polarizados pueden ayudar en este tipo de situaciones.
- En fotos en modo macro (objetos a corta distancia) en las que necesitemos usar el flash, conseguiremos atenuar los reflejos si colocamos una hoja de papel justo delante del flash o algún otro elemento que reduzca la intensidad del destello. De esta forma, los brillos y reflejos estarán más controlados. En la figura 1.2 podemos ver un ejemplo del resultado que obtendremos si usamos este sencillo truco.

Figura 1.2. Atenuar los efectos del flash cubriéndolo ligeramente.

- En fotos a contraluz, si es posible, sacaremos del encuadre la fuente principal de luz como el sol, un foco o cualquier otro elemento que distorsione las mediciones automáticas que hace la cámara para calcular la apertura y el tiempo de exposición.
- Relacionado con el punto anterior, utilice el flash de su cámara en fotos de día, en aquellas situaciones en las que trate de retratar un motivo poco iluminado tras un fondo con mucha luz. En la figura 1.3 puede observar un ejemplo.

Figura 1.3. Usar el flash para mejorar una fotografía con un objeto poco luminoso frente a un fondo claro; vemos el resultado de usar o no el flash.

- Si su cámara permite compensar la exposición manualmente, dispare una primera instantánea sin modificar nada, otra con valores negativos de exposición (-0,5EV) y una última con un ajuste positivo (+0,5 EV). Después compruebe las fotos y quizás se sorprenda del resultado (véase la figura 1.4). Algunas cámaras pueden hacer este mismo proceso automáticamente usando alguno de los modos de que disponen. A este proceso se le suele denominar horquillado o bracketing.

Figura 1.4. Imagen con tres valores distintos de exposición.

- Por regla general, las cámaras digitales tienen un mejor comportamiento que las analógicas en situaciones de poca luz. En cualquier caso, es conveniente utilizar un trípode o apoyar la cámara sobre un lugar firme para evitar que una velocidad lenta de obturación, necesaria para capturar todos los detalles en este tipo de situaciones, provoque una foto movida o poco nítida.

Nota: En la mayoría de los casos los problemas ocasionados por la luz en una fotografía son los que más fácil solución pueden tener con Photoshop.

1.5. Ajustar la sensibilidad

En las cámaras analógicas la sensibilidad se ajustaba según la película utilizada; 100 ISO, 200 ISO... Para las cámaras digitales este parámetro se puede establecer manualmente o dejar el modo automático en el que el procesador de la cámara elige el mejor ajuste en cada situación.

Si queremos establecer manualmente la sensibilidad debemos saber que a valores más bajos 50 o 100, mejoran la nitidez, mientras que si usamos sensibilidades mayores aumentaremos el ruido de la imagen, es decir, aparecerán pequeñas partículas de colores que nada tienen que ver con la imagen original. En la mayoría de los casos obtendremos buenas fotos utilizando valores 50 o 100.

Pero si queremos capturar imágenes en situaciones de poca luz, sin flash, donde necesitamos recoger todos los matices del momento podríamos conseguir resultados espectaculares con 300 ISO o 400 ISO.

Los errores provocados por exceso de ruido en la imagen no son sencillos de corregir, por lo que recomendamos cuidar este aspecto cuando realice sus fotos.

1.6. El zoom

Por lo general, la mayoría de las cámaras digitales disponen de dos tipos de zoom: el óptico y el digital. Los dos persiguen el mismo fin, acercar un plano determinado o mejorar el encuadre de un objeto, pero existe una gran diferencia entre los dos tipos de zoom.

Mientras que en el primero el resultado se consigue gracias a la óptica de la cámara y por lo tanto lo que capturamos es realmente lo que estamos viendo, en el segundo se emplean distintos algoritmos para añadir información "inventada" y simular el factor de ampliación. Debemos tenerlo en cuenta tanto a la hora de elegir una cámara como en el momento de usarla, puesto que las fotografías realizadas usando el zoom digital tienen una pérdida significativa de calidad. En la figura 1.5 podemos ver el resultado de utilizar el valor máximo para un zoom digital.

Figura 1.5. Efecto del zoom digital en su valor máximo.

1.7. Enfocar

Las cámaras digitales hacen del enfoque un juego de niños. Cada vez con más frecuencia, los sistemas de autoenfoque (Auto Focus) son más y más complejos resolviendo con soltura la mayoría de las situaciones, pero también es posible "jugar" con este concepto para añadir un poco de creatividad a nuestras fotografías.

Por otra parte nos podemos encontrar casos en los que los valores de referencia que toma la cámara al analizar la imagen no sean los correctos, generando resultados no deseados, desenfocando la parte de la imagen que nos interesa y enfocando aquella que no queremos resaltar, o simplemente no enfoca nada.

Un truco para conseguir el mejor enfoque en ciertas situaciones delicadas puede ser utilizar el zoom para acercarnos a la zona o bien al sujeto que nos interesa, pulsar el botón de disparo a medio recorrido para enfocar, para después deshacer el zoom, encuadrar y finalmente disparar la fotografía.

Si el enfoque es bueno en toda la imagen, no tendremos ningún problema a la hora de usar Photoshop para generar vistosos efectos de desenfoque en zonas determinadas de la imagen creando fotografías realmente espectaculares como podemos ver en la figura 1.6.

También podremos arreglar pequeños problemas de desenfoque mejorando ligeramente aquellas imágenes que tengan esta anomalía.

Figura 1.6. Desenfoque selectivo.

1.8. Apertura y exposición

La apertura determina el diámetro del diafragma en cada momento y permitirá jugar con la cantidad de luz que entra hasta el sensor de la cámara. Cuanto mayor sea el valor de apertura menor será el "agujero" del diafragma y viceversa. En la figura 1.7 podemos ver una representación mucho más gráfica de este concepto.

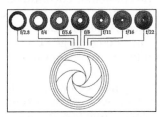

Figura 1.7. Apertura del diafragma.

> **Nota:** *Encontraremos habitualmente referenciados los valores de apertura o cierre del diafragma como f20, f15, f5... mientras mayor sea el número más cerrado estará el diafragma y viceversa.*

Por otra parte tenemos el tiempo de exposición como parámetro que determina el intervalo que permanece abierto el objetivo y le llega la luz hasta el CCD de la cámara. Combinando distintos valores de exposición y apertura podremos resolver situaciones complejas de luz o captar imágenes increíbles. Pero debemos tener cuidado con el tiempo de exposición ya que si nos excedemos con este valor añadiremos ruido a la imagen. Buscar el equilibrio no es fácil pero nadie dijo que hacer una buena fotografía fuera sencillo.

Photoshop dispone de un buen número de herramientas que permiten corregir problemas de exposición, pero también podemos usarlas para añadir creativos efectos sobre nuestras fotos. En la figura 1.8 puede ver el cuadro de diálogo **Niveles** desde el que podemos variar la gama de valores de color de la imagen.

> **Nota:** *El tiempo de exposición y la apertura son valores tan relacionados que en muchas cámaras la modificación de uno de ellos provoca el reajuste del otro.*

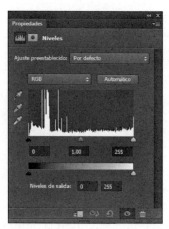

Figura 1.8. Cuadro de diálogo Niveles.

1.9. Profundidad del campo

La profundidad del campo determina la cantidad de espacio enfocado delante y detrás de un objeto. Por este motivo, todos los elementos que se encuentren dentro de este espacio aparecerán nítidos en la imagen. En la mayoría de los casos nos interesará que la mayor parte de los elementos que aparecen en la fotografía aparezcan enfocados pero también son comunes las fotografías en las que buscamos la nitidez de un elemento situado en primer plano y el desenfoque del resto. Este efecto se usa frecuentemente en retratos, fotos de naturaleza...

Para conseguir una mayor profundidad de campo, es decir, que la mayor parte de la imagen aparezca enfocada, debemos usar valores bajos de apertura de diafragma, es decir, números altos: f8, f12... Este es el caso más común cuando queremos hacer fotos de conjunto, tomas de monumentos, paisajes, etcétera. Para conseguir el efecto contrario usaremos mayor apertura de forma que permanezcan enfocados sólo aquellos elementos que se muestren en primer plano.

Nota: El zoom también permite modificar la profundidad de campo; a mayor zoom menor profundidad de campo. En la figura 1.9 tenemos un ejemplo donde hemos utilizado el zoom para acercar la imagen y provocar el desenfoque de todo lo que no se encuentra en primer plano.

Figura 1.9. Empleo de la profundidad de campo.

Photoshop no permite modificar la profundidad de campo, aunque podremos simular el efecto de desenfoque si queremos destacar un elemento determinado de la imagen.

1.10. Buscar el mejor encuadre

El encuadre es fundamental para hacer buenas fotos y además, en la mayoría de los casos, es un problema que no podremos solucionar con las múltiples posibilidades de Photoshop. Los profesionales de la fotografía recomiendan no buscar siempre el centro de la imagen como única opción de encuadre, sino justo lo contrario. Por ejemplo, en fotos de paisajes no sitúe el horizonte en el centro de la imagen, busque la parte superior o inferior de la escena, según quiera resaltar una parte u otra de la foto. Del mismo modo, si queremos fotografiar a una persona o cualquier otra cosa ante un paisaje o fondo amplio debemos evitar que el objeto principal de la foto quede en el centro de la imagen. Haremos un primer encuadre sobre el motivo principal, enfocaremos y luego desplazaremos el encuadre hacia la derecha o la izquierda para dejar el motivo a un lado. En la figura 1.10 hemos trabajado de esta forma.

1.11. Balance de blancos

El ajuste del balance de blancos en una cámara digital permite corregir las alteraciones que provocan los distintos tipos de fuentes de luz sobre los colores de una imagen. Por ejemplo, no es lo mismo capturar una escena en una habitación iluminada con luces fluorescentes que al aire libre con luz de sol. Cada situación requiere que la cámara ajuste sus sensores para captar lo más fielmente posible los tonos de la imagen.

Figura 1.10. Desplazando el encuadre a un lado después de enfocar al motivo.

Es muy probable que nuestra cámara disponga de un modo automático de ajuste del balance de blancos, pero también es posible que permita elegir valores predeterminados según las condiciones en las cuales nos encontremos: luces de neón, fluorescentes, incandescentes... Si nuestra cámara lo soporta, un paso más sería ajustar manualmente el balance de blancos antes de hacer la foto, tarea que se lleva a cabo habitualmente usando una hoja de papel de color blanco (también serviría si fuera de un tono gris claro) o cualquier otro elemento de este color situado bajo las mismas condiciones de luz en la que se encuentra la imagen que deseamos captar.

1.12. Ojos rojos

Quien no haya hecho una foto en la que aparezcan personas con ojos de vampiro que tire la primera piedra. Es un problema tan común que la mayoría de las cámaras digitales disponen de sistemas para atenuarlo. Para conseguirlo, lanzan una primera ráfaga de flash con el objeto de dilatar la pupila de los protagonistas y a continuación tomar la foto.

No debemos preocuparnos demasiado si nos ocurre este problema ya que Photoshop permite arreglarlo con facilidad. Aunque si hacemos uso del título de uno de los apartados de este capítulo, mejor prevenir antes que curar, deberíamos activar la reducción de ojos rojos de nuestra cámara siempre que sea necesario.

1.13. Formatos más comunes

Adobe Photoshop permite trabajar con imágenes en multitud de formatos, si bien es cierto que, en el ámbito de la fotografía digital, los más usados son: JPEG, TIFF y RAW. Este último presenta unas características muy especiales y se encuentra disponible solo en cámaras de gama alta. A continuación, se muestran las características más relevantes de cada uno de ellos.

- TIFF: es sin duda alguna, junto el formato JPEG, uno de los más usados y extendidos actualmente, tanto para entornos Mac como Windows. Fue desarrollado por Aldus para homogeneizar los formatos de imágenes digitales. Este formato utiliza un algoritmo de compresión denominado LZW, siendo importante reseñar que se trata de un proceso de compresión sin pérdidas por lo que la calidad de la imagen permanece intacta.

- JPEG: En el mundo de la fotografía digital es el rey indiscutible y prácticamente todas las cámaras lo utilizan. Las siglas corresponden a *Join Photographic Expert Group* o "Grupo de Expertos Fotográficos", y entre sus propiedades se encuentra la posibilidad de admitir color de 24 bits, lo que hace de este formato el modelo ideal para representar fotografías e imágenes de gran calidad. Utiliza un algoritmo de compresión con pérdidas, pero con la ventaja de ser nosotros mismos quienes podemos definir el grado de compresión que deseamos aplicar. Como es lógico, a mayor nivel de compresión, menor calidad, pero también, menor tamaño.

- RAW: Como hemos comentado se trata de un formato destinado a fines específicos y soportado por cámaras de gama alta, sobre todo los modelos SLR. Una imagen en formato RAW, contiene toda la información que captó el CCD de la cámara en el momento de tomar la instantánea, sin ningún tipo de procesamiento o proceso de compresión. Este hecho unido al mayor número de datos que se almacena para cada punto de la imagen le confieren al formato RAW infinitas posibilidades de edición y retoque. Como contrapartida obtendremos un tamaño de archivo grande, necesitando tarjetas de memoria de capacidad elevada.

Nota: El formato RAW no cumple una especificación estándar y cada fabricante lo implementa de forma diferente. Esta circunstancia hace que sean incompatibles imágenes tomadas con este formato usando cámaras de distintos fabricantes. Para solucionar este inconveniente, Microsoft, en colaboración con Nikon, Canon y Adobe ha desarrollado un visor para RAW, además de dar soporte nativo para él en sus versiones de Windows.

1.14. Resolución

Dejamos un poco al margen los conceptos más tradicionales de fotografía y veamos a continuación aspectos específicos de la imagen digital.

El concepto resolución hace referencia al número de píxeles por pulgada que compone la imagen. Queremos hacer hincapié en que es una medida totalmente lineal, es decir, no estamos hablando de una pulgada cuadrada. Por lo tanto se trata del número de píxeles que tiene la imagen a lo largo de una línea recta de 2,54 centímetros de longitud (una pulgada).

Nota: Aunque Photoshop admite la posibilidad de medir la resolución de una imagen usando valores de píxeles por centímetros, aconsejamos utilizar los puntos por pulgada, ya que es el estándar general dentro del mundo de la fotografía.

Es lógico pensar que mientras más píxeles haya por pulgada, más posibilidades habrá de definir los detalles de una imagen y mejor será su calidad. Esto es cierto aunque, como veremos, también tiene sus inconvenientes. La figura 1.11 muestra una misma imagen ampliada, donde la primera se encuentra a una resolución de 300 ppp y la segunda, a 72 ppp. Para poder mostrar ésta última al mismo tamaño que la primera hemos tenido que ampliarla varias veces, y el motivo lo veremos en el siguiente apartado.

Para dejar totalmente claro el concepto de resolución y distinguirlo del tamaño de la imagen, queremos aclarar que el tamaño corresponde a las dimensiones físicas de la imagen mientras que, como ya hemos comentado, la resolución indica el número de píxeles por pulgada utilizados para su representación. Por lo tanto, con un mismo tamaño podremos disponer de distintos valores de resolución.

Figura 1.11. Una misma imagen a 72 ppp y 300 ppp.

Es muy habitual confundir los términos de resolución y tamaño. El motivo es que, al aumentar la resolución de una imagen en Photoshop, el tamaño de visualización también se amplía.

Este efecto está motivado por la limitación de resolución que ofrecen las pantallas de ordenador. Es decir, lo normal es que nuestro monitor muestre valores de resolución comprendidos entre los 72 ppp y 92 ppp como máximo; por lo tanto, si la imagen tiene una resolución mayor, la manera de mostrar esa información adicional es distribuirla linealmente, provocando un aumento en el tamaño de visualización de la misma, y de ahí que nos parezca que las proporciones de la imagen aumentan cuando aumentamos la resolución.

La figura 1.12 representa el aspecto de las imágenes del apartado anterior en Photoshop con un valor de zoom del cien por cien pero con distintas resoluciones (72 ppp y 300 ppp, respectivamente).

Figura 1.12. Representación en Photoshop de dos imágenes del mismo tamaño pero con resoluciones diferentes.

1.15. La guerra de los megapíxel

Seguro que la primera pregunta que todos nos hemos hecho al comprar nuestra cámara digital es, ¿cuántos megapíxeles tiene? Es cierto que éste es un parámetro importante a la hora de elegir un modelo, pero ni mucho menos se trata del único.

Existen otros elementos muy importantes como por ejemplo la óptica, el tipo de zoom, el número de modos automáticos, etcétera. Con todos estos elementos no es de extrañar que una cámara de 8 megapíxeles pueda llegar a hacer mejores fotos que una de 12. El secreto está en elegir una combinación equilibrada y después, en conocer bien nuestra cámara para aprovechar sus posibilidades.

Existe una relación directa entre el tamaño del CCD de nuestra cámara, es decir, el número de megapíxel de que dispone y el tamaño ideal para imprimir nuestras imágenes. Y decimos "ideal", porque evidentemente podemos ampliar una foto tanto como queramos, pero a partir de ciertas proporciones el resultado dejaría mucho que desear.

En la siguiente tabla mostramos la relación directa entre el número de megapíxel y el tamaño de impresión adecuado.

Tabla 1.1. Megapíxeles y tamaños de impresión.

Megapíxels	Tamaño
4 Megapíxel	105×148mm (A6)
5 Megapíxel	148×210mm (A5)
7 Megapíxel	210×297mm (A4)
8 Megapíxel	297×420mm (A3)

Advertencia: Un aspecto importante es la diferencia entre píxeles reales e interpolados. Siempre debemos tomar como primera referencia el número de píxeles reales o efectivos, ya que simplificando mucho podríamos decir que la interpolación es un proceso mediante el cual la cámara se "inventa" información sobre la imagen para simular un CCD de mayor tamaño. No debemos dejarnos confundir con este aspecto, ya que podemos llevarnos alguna que otra sorpresa.

1.16. Soportes de almacenamiento

Las tarjetas de memoria son el elemento en el cual se almacenan las imágenes de nuestra cámara digital, y existen distintos modelos siendo los más comunes las tarjetas Compact Flash, MMC, SD o Memory Stick.

En la actualidad los precios de estas tarjetas o pastillas han bajado lo suficiente como para tener la posibilidad de guardar cientos de fotos en una sola sin necesidad de tener que estar cambiándolas. Nuestro consejo es que mientras mayor sea la capacidad mejor, y si al menos tenemos dos tarjetas, mejor que mejor.

Nota: La mayoría de las cámaras digitales disponen de un conector USB en el propio cuerpo. Este elemento suele ser algo frágil por lo que nuestro consejo es comprar un lector de tarjetas externo para copiar las imágenes a su ordenador y evitar en la medida de lo posible conectar directamente la cámara al equipo.

1.17. Hacia dónde vamos

El fenómeno de la fotografía digital sigue plenamente vigente a pesar de la crisis, cada día encontramos en las tiendas modelos nuevos con más prestaciones, mejor calidad y, lo más importante, precios más baratos. Es posible que nuestra flamante cámara dentro de un par de años nos parezca una pieza de colección. Lo que no cambia es la idea de usar aplicaciones como Photoshop para mejorar y trabajar en la edición y mejora de nuestras fotografías. Es posible que ya conociera algunos de los aspectos comentados en este primer capítulo. En cualquier caso, esperamos que le haya servido como introducción a un tema tan apasionante como la fotografía digital.

1.18. Ajustes de color

Por último, comentar un aspecto al que no solemos dar demasiada importancia pero que desde nuestro punto de vista es vital en el mundo del retoque fotográfico, el ajuste de color. En el conjunto de aplicaciones de Adobe Creative Suite existe una característica que permite coordinar la gestión del color entre todos los programas que forman parte de este paquete de diseño, se trata del comando Ajustes de color situado en el menú Edición. Adentrarnos en los detalles de cada una de las opciones disponibles en este cuadro de diálogo quizás sea demasiado, pero sí creemos importante que al menos conozca los valores predefinidos incluidos en la lista Ajustes y que muestra la figura 1.13. Observe que existen opciones definidas para tareas concretas como visionado en el propio monitor, trabajos de preimpresión o diseños Web. El botón **Más opciones** amplía las posibilidades del cuadro de diálogo Ajustes de color con nuevos ajustes.

La calibración del monitor es otro aspecto importante que no debemos descuidar. Algunos monitores incluyen software de calibración pero si de verdad queremos que la pantalla de nuestro ordenador reproduzca fielmente los colores y no tengamos ninguna sorpresa a la hora de imprimir debemos recurrir a un aparato denominado colorímetro, que incluye un sensor óptico y un programa de configuración. Con él no tendremos ningún problema, si bien es cierto que se trata de una solución algo exagerada para usuarios domésticos. Si quiere una solución más económica puede optar por imprimir una copia de lo que desea imprimir antes de llevar los archivos a la imprenta y de esta forma aproximar todo lo posible los colores a la realidad.

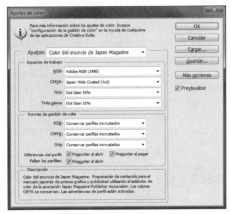

Figura 1.13. Contenido de la lista Ajustes del cuadro de diálogo Ajustes de color.

1.18.1. Perfiles de color

En muchas ocasiones los problemas planteados en el tratamiento del color no son propios del programa, sino de los distintos dispositivos que se usan en el proceso. Por ejemplo, cuando trabajamos con nuestros proyectos en Photoshop, utilizaremos un monitor y una tarjeta gráfica que presentarán una serie de características como la resolución y la gama de colores que pueden mostrar. Además, la impresora en color que usemos también tendrá su propia gama de colores y su resolución máxima. La solución ante este panorama tan "caótico" es el uso de "perfiles de color" o "espacios de trabajo". El objetivo es simple, conseguir que el mismo color que vemos en pantalla sea el que aparezca a la hora de imprimir. Ya de principio, le adelantamos que no conseguirá casi nunca el color exacto, pero ciertamente podemos trabajar con aproximaciones perfectamente válidas. Para elegir el perfil de color más adecuado a su trabajo debe recurrir a la interfaz de Photoshop y más concretamente al comando Vista>Ajuste de prueba donde se encuentra diferentes espacios de trabajo predefinidos. Si piensa que ninguno de ellos se adapta completamente a sus necesidades utilice la opción A medida y cree su propio perfil.

2

Seleccionar
y perfeccionar bordes

2.1. Introducción

Si existe un aspecto que necesitamos dominar en un programa como Photoshop, sin lugar a dudas son las selecciones. Tanto herramientas de selección, como comandos, como utilidades son imprescindibles para aprovecharlas en tareas de retoque y corrección.

En otras aplicaciones las selecciones puede ser un mero complemento pero en Photoshop no es así: las selecciones son una pieza fundamental dentro del trabajo diario y serán nuestro punto de partida para realizar multitud de acciones. En la figura 2.1 puede comprobar la ubicación de los tres grupos de herramienta disponibles en Photoshop, relacionados con funciones de selección.

No entraremos en demasiados detalles de las que consideramos más sencillas pero si comentaremos aquellas más útiles para trabajos de retoque fotográfico.

> **Nota:** *Para deshacer una selección, puede la combinación de teclas* **Control-D** *o el comando* Deseleccionar *del menú* Selección.

Si quiere ganar tiempo le recomendamos que utilice los siguientes atajos de teclado asociados a las distintas herramientas de selección disponibles:

- Tecla **M**: Marco circular y Marco elíptico.
- Tecla **L**: Lazo, Lazo poligonal y Lazo magnético.
- Tecla **W**: Selección rápida y Varita Mágica.

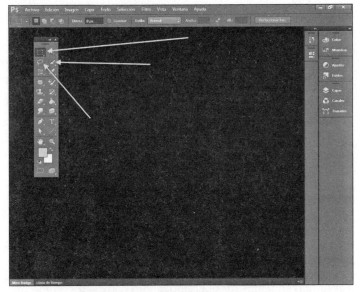

Figura 2.1. Herramientas de selección.

Como puede comprobar, el mismo atajo es compartido por más una herramienta. Pues bien, para alternar entre cada una de ellas mantenga pulsada la tecla **Mayús** mientras utiliza la tecla asociada.

> *Truco: Para conseguir una selección de proporciones perfectas, ya sea cuadrado o círculo, mantenga pulsada la tecla Mayús al tiempo que arrastra el cursor. Pero si lo que prefiere es que la selección sea concéntrica al punto donde hace clic, deberás mantener pulsada la tecla Alt.*

2.2. Un caso especial, el lazo magnético

La herramienta **Lazo magnético** permite definir una selección siguiendo el contorno de cualquier elemento de nuestra imagen.

Solamente existe una pequeña exigencia, el color de fondo y el color del objeto deben tener el suficiente grado de contraste para que la herramienta no los confunda a la hora de describir sus límites.

Para usarla, siga estos pasos:

1. Mantenga pulsado el ratón sobre la herramienta **Lazo**.
2. Seleccione la herramienta **Lazo magnético** y compruebe cómo el cursor se transforma en un lazo pegado a un pequeño imán.
3. Haga clic y desplace el cursor siguiendo el contorno del objeto. La línea de selección se adaptará automáticamente a la forma del objeto.
4. Cuando llegue al punto de inicio, haga clic para cerrar el área. La zona seleccionada queda definida.

A medida que vamos realizando la selección, aparecerán una serie de puntos de fijación que determinan el contorno de la selección al objeto como muestra la figura 2.2, preste atención a los puntos de fijación.

Figura 2.2. Proceso de selección con la herramienta Lazo magnético.

Otra de las grandes ventajas de la herramienta Lazo magnético es que basta con volver hacia atrás con el cursor para eliminar parte de la línea de selección. También podemos pulsar la tecla **Supr** para ir eliminando uno a uno los puntos de fijación.

2.3. Opciones asociadas a las herramientas de selección

Después de seleccionar algunas de las herramientas de selección, la barra de opciones mostrará una serie de posibilidades. Con ellas, podremos ajustar su comportamiento para conseguir nuestros propósitos.

En primer lugar debemos tener en cuenta los primeros cuatro botones que encontramos en la barra de opciones, y que hemos resaltado en la figura 2.3:

- **Selección nueva:** Es la opción por defecto y no ejecuta ninguna operación especial, simplemente permite describir una nueva selección.

- **Añadir a la selección:** El área de selección descrita se suma a la ya existente, sea o no adyacente. Si le resulta más sencillo, puede conseguir el mismo efecto manteniendo pulsada la tecla **Mayús** mientras describe la nueva selección, independientemente de la opción activa.

- **Restar de la selección:** Al activar esta tercera opción, cualquier nueva selección que describamos se restará a la ya existente. El atajo de teclado equivalente sería mantener pulsada la tecla **Alt**. Como hemos comentado en el punto anterior, este atajo funciona sea cual sea la opción activa.

- **Formar intersección con la selección:** Si recuerda algo de la teoría de conjuntos, identificará el término "intersección" con los elementos comunes a dos o más conjuntos. Extrapolando este concepto al tema que nos ocupa, la intersección corresponderá a la zona común entre dos o más selecciones.

Nota: La diferencia entre activar alguno de los botones anteriores o utilizar el atajo de teclado para sumar, restar o intersecar una selección está definida por la temporalidad del uso. Mientras que los botones de la barra de opciones mantienen permanente el comportamiento de la herramienta, los atajos de teclado aplican la propiedad sólo mientras se encuentra pulsada la tecla correspondiente.

La descripción del resto de opciones disponibles para las diferentes herramientas de selección sería la siguiente:

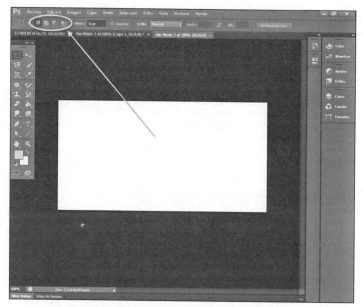

Figura 2.3. Botones de modo de selección.

- Suavizar: Con el suavizado conseguiremos hacer menos brusca la transición de color en los bordes de la zona seleccionada. En la mayoría de las ocasiones, se consiguen mejores resultados activando este parámetro, aunque no está disponible para la herramienta **Marco rectangular**.
- Estilo: En esta lista desplegable podemos encontrar tres opciones; la primera de ellas, Normal, no realiza ningún cambio, y el significado de las dos restantes sería el siguiente:
  - Proporción fija: Delimita el tamaño de aquellas selecciones que realicemos con la herramienta Marco, tanto rectangular como elíptico. Por ejemplo, si queremos que el ancho del marco sea tres veces mayor que el alto, deberemos introducir el valor 3 en la casilla Anchura y 1 en la casilla Altura.
  - Tamaño fijo: En este caso, el tamaño del marco no queda definido al arrastrar el cursor, sino que viene determinado por los valores de las casillas Altura y Anchura. Al activar esta opción, debe tener en cuenta la resolución de la imagen.

Las tres opciones siguientes se encuentran disponibles para la herramienta **Lazo magnético**:

- Anchura: Define la distancia en píxeles a partir de la cual la herramienta detectará los bordes del objeto. No conviene que esta distancia sea demasiado amplia, ya que entonces perderíamos mucho control sobre la selección.
- Contraste: La cantidad establecida en este parámetro servirá para determinar los valores de diferencia de color (contraste) que la herramienta debe tener en cuenta a la hora de reconocer los bordes del objeto que estamos intentando seleccionar. Utilice valores bajos de contraste para imágenes con bordes poco definidos y porcentajes altos para contornos bien diferenciados.
- Lineatura: Esta extraña palabreja sirve para definir la distancia a la que se irán añadiendo puntos de fijación. A valores más altos, más puntos de sujeción se agregarán a los bordes de la línea de selección.

Por último, no debemos olvidar las opciones vinculadas a una de las herramientas de selección más importantes y conocida, nos referimos a la **Varita mágica**. La figura 2.4 muestra esta herramienta en acción y a continuación describimos sus opciones de configuración:

- Tolerancia: Ésta define la capacidad de la herramienta para seleccionar los píxeles adyacentes según su color. Mientras menor sea este valor, mayor exactitud debe tener el color del píxel para que forme parte de la selección.
- Suavizar: Al activarla conseguimos un efecto menos brusco en los colores próximos al borde de la selección cuando la cortamos o movemos.

- **Contiguo**: Active esta casilla cuando quiera incluir en la selección sólo píxeles adyacentes; si no lo hace así, añadirá a la selección todos aquellos píxeles de la imagen que coincidan con el color tomado como patrón.
- **Muestrear todas las capas**: Si se encuentra activa, la selección afectará a todas las capas que componen la imagen. Aunque todavía no sabemos nada sobre las capas, no se preocupe, trataremos ampliamente este tema en el manual en los próximos capítulos.

> **Nota:** *La opción más importante de la herramienta* **Varita mágica** *es el valor de tolerancia, ya que permite definir el alcance de nuestra selección. Pruebe distintos valores si la selección no se ajusta a lo que necesita.*

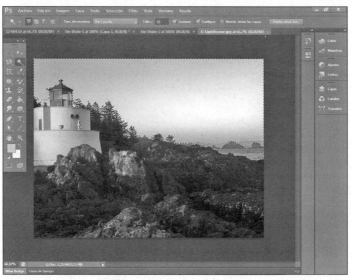

Figura 2.4. Selección realizada con la herramienta Varita mágica.

2.4. La herramienta Selección rápida

Selección rápida permite realizar selecciones complejas de forma cómoda y sencilla. Se trata de un método con el que más que seleccionar parece que estemos pintando sobre la imagen y nos será de gran utilidad en tareas de retoque donde sea necesario aislar persona u objetos. Para utilizar **Selección rápida** lo primero que debemos hacer es hacer clic sobre ella en la caja de herramientas. A continuación, debemos fijarnos en la barra de opciones para ajustar sus valores antes de comenzar a trabajar con ella. Observe en la figura 2.5 como en primer lugar encontramos tres pequeños iconos:

- El primero es la opción por defecto y sirve para definir una nueva selección.
- El segundo de ellos permite añadir todo lo seleccionado a la selección ya existente.
- A diferencia de la opción anterior, si activa este tercer icono, la nueva selección se restará a las ya existentes.

Figura 2.5. Barra de opciones para la herramienta Selección rápida.

La siguiente opción de la barra determina en gran medida el comportamiento de la herramienta, puesto que se trata de elegir el tamaño del pincel. Como hemos comentado, al utilizar la selección rápida parecerá que estemos pintando en lugar de establecer una selección. Por este motivo, elegir el tamaño y la forma del pincel es fundamental para aprovechar todas sus posibilidades.

> *Truco:* Si activa la casilla de verificación **Muestrear todas las capas** *la herramienta utilizará la composición completa de la imagen para determinar el borde de selección y no sólo la capa que se encuentre activa en ese momento.*

Por último, **Mejorar automáticamente** se encarga de hacer parte del trabajo por nosotros, ya que muchos de los ajustes que trataremos en el apartado Perfeccionar bordes los realiza de forma automática, suavizando los bordes y mejorando la precisión de la selección. En cualquier caso, no se trata de algo mágico, y existirán ocasiones en las que sus resultados no sean los esperados. Pruebe a trabajar con esta opción activada o desactivada para comprobar cuál se ajusta mejor a sus necesidades.

Una vez descrita sus opciones, ahora toca la parte más fácil. Haga clic o "dibuje" con la herramienta aquellas zonas de la imagen que desea seleccionar. Selección rápida tomará como referencia la zona y extenderá la selección inteligentemente sobre todo el área similar. En la figura 2.6 puede observar un ejemplo.

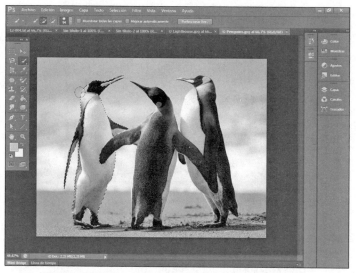

Figura 2.6. Herramienta Selección rápida en acción.

2.5. Perfeccionar bordes

El botón **Perfeccionar bordes** Photoshop se encuentra disponible para todas las herramientas de selección y complementa de forma idónea las posibilidades de cada una de ellas. Para entender y aprovechar todas sus características describimos a continuación el sentido de las secciones que lo componen.

2.5.1. Modo de vista

Haga clic en la miniatura denominada Vista y Photoshop mostrará diferentes versiones de nuestra selección como puede ver en la figura 2.7, con el fondo blanco, con el fondo de color rojo, teniendo en cuenta las capas inferiores, etcétera. Utilice la tecla **F** como atajo de teclado, púlsela repetidamente para recorrer todas las vistas y de esta forma elegir la que le parezca más adecuada. Del mismo modo utilice la tecla **X** para recuperar temporalmente el aspecto original de la imagen.

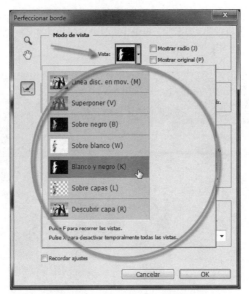

Figura 2.7. Lista desplegable Vista.

A la derecha de la lista desplegable Vista también encontrará dos casillas de verificación:

- **Mostrar radio:** Esta característica funciona en combinación con la opción Radio de la sección Detección de borde y permite comprobar de forma precisa el área sobre la que Photoshop está aplicando el algoritmo de detección de bordes.
- **Mostrar original:** Simplemente elimina temporalmente efectos de la opción anterior y muestra la imagen inicial.

Truco: Cada una de las posibilidades de la lista desplegable Vista *tiene asociada una letra como atajo de teclado. La idea es mejorar el acceso a estas opciones sin necesidad de abrir la lista y seleccionarla.*

2.5.2. Detección de borde

Existen determinadas selecciones que por su complejidad resulta muy complicado definirlas con exactitud. Un ejemplo muy típico son las imágenes de personas en las que debemos extraer el fondo, y la selección del pelo siempre resulta un problema. Para solucionarlo debemos combinar la herramienta **Selección rápida** y las opciones de la sección Detección de borde del cuadro de diálogo Perfeccionar borde.

Tomemos como ejemplo la imagen de la figura 2.8 donde el propósito es aislar la figura de la persona del fondo.

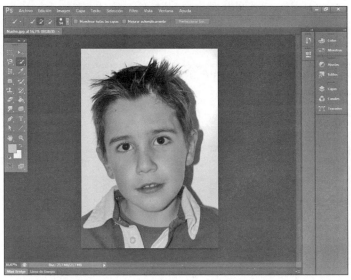

Figura 2.8. Imagen de ejemplo para aplicar detección de bordes.

Esto nos podría servir por ejemplo para hacer un montaje posterior o aplicarle una corrección concreta la persona:

1. En primer lugar elegimos la herramienta **Selección rápida** para establecer un área de selección que contemple la figura que deseamos aislar.
2. Luego abrimos el cuadro de diálogo Perfeccionar borde y en la lista desplegable Vista seleccionamos Blanco y Negro (K). De esta forma tendremos mucho más control visual sobre lo que está haciendo la herramienta.
3. Activamos la casilla de verificación Radio inteligente para que Photoshop nos ayude un poco en nuestro trabajo. También estableceremos un valor de Radio para indicar a la herramienta la amplitud del área que deseamos tratar. Podemos probar con diferentes valores hasta encontrar el más adecuado.

4. El siguiente paso sería dibujar con la herramienta sobre los bordes de la imagen para llevar a cabo la detección de bordes y que el pelo de la imagen quede perfectamente definido.

5. Si no está contento con el resultado, haga clic con el botón derecho sobre el icono situado a la izquierda de la sección **Detección de bordes** y seleccione la herramienta **Borrar perfeccionamientos** como puede ver en la figura 2.9. Aplique esta herramienta sobre las zonas que desee restaurar.

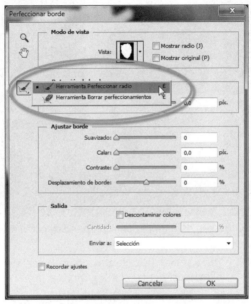

Figura 2.9. Herramientas del cuadro de diálogo Perfeccionar bordes.

6. Debe repetir los últimos puntos hasta que el resultado de la selección sea el que desea.

Después de realizar todos estos pasos debería obtener un resultado similar al que podemos observar en la figura 2.10. Para completar el proceso haga clic sobre el botón **OK** y entonces la selección quedará establecida sobre la imagen. Para conseguir un resultado perfecto necesitará paciencia y buen pulso.

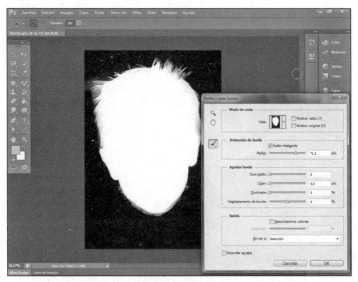

Figura 2.10. Resultado de la detección de bordes.

> **Nota:** *A mayor radio, más exacto y mayor precisión tendrá el borde de selección. Habitualmente se utilizan valores bajos para motivos con poco detalle y radios más altos para ajustar la selección a elementos más delicados y con mucho desenfoque.*

2.5.3. Ajustar borde

Puede dar un paso más y establecer manualmente los parámetros de selección de bordes con las opciones siguientes:

- **Suavizado**: Como su propio nombre indica, se encarga de atenuar los límites de la selección.
- **Calar**: Los valores establecidos en esta opción generan un efecto de desenfoque alrededor de la selección, formándose una zona de transición determinada por el número de píxeles que introduzcamos en la casilla. Los efectos del calado tan sólo son visibles cuando movemos, cortamos o bien copiamos la selección. Para comprenderlo mejor, observe, en la figura 2.11, los resultados de utilizar un calado de 10 píxeles en una selección rectangular.

Figura 2.11. Efecto de calado.

- **Contraste:** Si aumentamos mucho el valor de radio, podemos provocar que se cree cierto efecto borroso en los bordes de selección. Variando la proporción de contraste podremos solucionar este problema.
- **Desplazamiento de borde:** Sirve para aumentar o disminuir los límites de la selección. Con esto podemos eliminar colores que no nos interese incluir.

> **Truco:** *La opción de calado mantiene una relación directa entre el valor en píxeles que introduzcamos en este cuadro y el tamaño de la imagen. Por este motivo, en función de las proporciones de la imagen tendremos que introducir una cantidad mayor o menor de píxeles de calado para conseguir el efecto deseado.*

2.5.4. Salida

Esta última sección permite eliminar esos píxeles que rodean la selección, denominado halo, y que no queremos que aparezcan en el resultado final. Seleccione la opción Descontaminar colores y establezca diferentes valores para el parámetro Cantidad hasta llegar al resultado óptimo.

La lista desplegable **Enviar a** de la sección **Salida** contiene varias posibilidades interesantes. Permite crear directamente un máscara son la selección descrita, una nueva capa o incluso un nuevo documento. No olvide estas opciones, sobre todo las relacionadas con las máscaras de capa.

2.6. Comandos de selección

Las posibilidades de selección disponibles en Photoshop no sólo se encuentran en las herramientas y sus opciones, también existen interesantes comandos que complementan sus funciones. Estos comandos se encuentra dentro del menú **Selección** y a continuación describimos los más importantes:

- **Invertir:** En muchas ocasiones, resultará más sencillo seleccionar justo lo contrario de aquello que realmente queremos. La forma más sencilla de hacerlo es utilizar la combinación de teclas **Mayús-Control-I** o hacer clic con el botón derecho sobre la selección y elegir el comando **Seleccionar inverso**.
- **Extender:** Este comando tiene una interesante misión: amplía la selección comparando el color de los píxeles adyacentes a los que ya se encuentran seleccionados y, si se encuentra dentro del rango de tolerancia definido en las opciones de la Varita mágica, lo incluye en la selección.
- **Similar:** El comando **Similar** cumple prácticamente la misma función que **Extender**, pero lleva el resultado algo más lejos. Si **Extender** incluía en la selección todos los píxeles adyacentes que estuvieran dentro de un rango de tolerancia establecido, **Similar** realiza esta operación, pero no sólo para los adyacentes, sino para todos los que formen parte de la capa activa en ese momento.

Además de los potentes comandos que hemos comentado, existen más posibilidades para modificar el área seleccionada. Estas opciones están asociadas al comando **Modificar** del menú **Selección** y deberíamos tenerlas siempre presentes:

- **Borde:** El área seleccionada queda reducida a una franja cuyo ancho será el que hayamos indicado en el cuadro de diálogo que aparece tras ejecutar este comando.
- **Redondear:** Atenúa las esquinas de las selecciones rectangulares o poligonales, redondeándolas. El valor que debe introducir en el cuadro de diálogo es el radio correspondiente a la curvatura de la esquina.
- **Expandir:** Amplía el área de selección tantos píxeles como indiquemos en el cuadro de diálogo que aparece después de ejecutar el comando.
- **Contraer:** Igual que la opción anterior, pero en esta ocasión reduce el área seleccionada.
- **Desvanecer:** Si ha trabajado con versiones anteriores de Photoshop, esta opción sustituye al comando **Calar**, pero su función es idéntica. Se produce un efecto de desenfoque alrededor de la selección, formándose una zona de transición. El ancho de esta área queda definido por el número de píxeles que introduzcamos en la casilla **Radio de desvanecimiento**. Los efectos del calado tan sólo son visibles cuando movemos, cortamos o copiamos la selección.

> **Truco:** *Para rellenar automáticamente una selección con el color de fondo, utilice entonces la combinación de teclas* **Control-Retroceso**.

Si tiene intención de rotar, escalar, sesgar..., en definitiva, de deformar el área seleccionada, el comando apropiado para llevar a cabo estas tareas se llama **Transformar selección** y se encuentra en el menú **Selección**.

> **Truco:** *También puede seleccionar el comando* **Transformar selección** *en el menú emergente que aparece cuando hace clic con el botón derecho sobre una selección y mientras se encuentran activas las herramientas Marco o Lazo.*

Utilice los selectores para modificar el tamaño de la selección, y mantenga pulsada la tecla **Alt** si desea que este cambio sea proporcional. Otra posibilidad es deformar la selección tirando de cualquiera de sus esquinas. Para hacerlo, pulsaremos la tecla **Control** y arrastraremos el manejador que más nos interese.

> **Truco:** *Si hace clic con el botón derecho sobre la selección después de utilizar el comando* **Transformar selección***, aparece un menú emergente con todas las opciones de transformación disponibles.*

Hasta ahora hemos descrito distintas fórmulas para modificar un área de selección, pero es posible que lo que necesitemos sea cambiar el contenido de esta selección. Para aplicar este tipo de transformación, disponemos de los comandos Transformación libre y Transformar del menú Edición.

2.6.1. Malla de transformación

Photoshop incluye un interesante comando para modificar selecciones de una forma mucho más potente. Describa una selección usando cualquiera de las herramientas comentadas al principio del capítulo y después elija el comando Edición> Transformar>Deformar. El aspecto de la selección será similar al que muestra la figura 2.12.

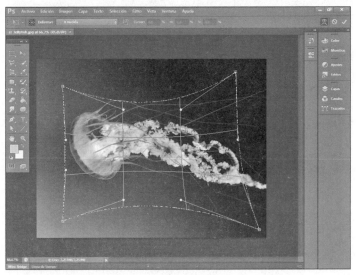

Figura 2.12. Selección en modo deformación.

En ella podemos observar la malla que aparece sobre la selección y los distintos puntos de control de color gris oscuro situados alrededor de la misma. Si hacemos clic sobre cualquiera de ellos y arrastramos, podremos comprobar que la malla se transforma y modifica su aspecto. Se puede utilizar esta característica para adaptar la selección a la forma que necesitemos.

> **Nota:** *Si hemos seleccionado el comando* **Transformación libre** *en el menú* **Edición**, *podemos acceder a las posibilidades que acabamos de ver con tan sólo hacer clic en el botón que hemos resaltado en la figura 2.13. Este botón permite pasar del modo transformación tradicional al modo deformación y viceversa.*

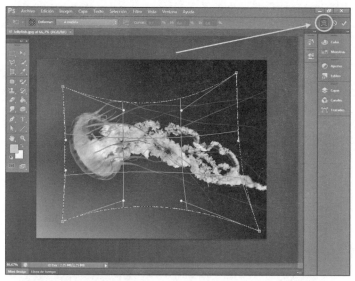

Figura 2.13. Botón que permite cambiar entre el modo transformación libre o deformación.

2.7. Guardar y recuperar selecciones

Es posible que en algunas ocasiones dediquemos mucho tiempo hasta que logremos seleccionar aquella zona de la imagen que realmente deseamos tratar. Del mismo modo, puede ocurrir que necesitemos utilizar una selección más de una vez. Existen dentro del menú Selección dos comandos que pueden ayudar en este tipo de situaciones: Cargar selección y Guardar selección.

Una vez definida la selección, elegiremos ahora el comando Selección>Guardar selección. En el cuadro de diálogo asociado tendremos las siguientes opciones:

- **Documento:** Aquí debemos elegir entre guardar la selección en alguno de los documentos abiertos o en un archivo nuevo. Si piensa utilizar la selección guardada únicamente en la imagen actual, la puede asociar al mismo archivo pero si cree que la necesitará en más de un documento quizás le interese crear un archivo sólo para las selecciones.
- **Canal:** Esta lista mostrará la opción Nuevo por defecto si es la primera selección que guardamos; en caso de tener almacenada más de una, podremos elegir cualquiera de ellas. De esta forma podremos modificar las selecciones previamente guardadas añadiendo, restando o intersecando nuevas zonas, según el botón de opción señalado en la sección Operación.
- **Nombre:** Introduzca aquí el nombre por el que quiere reconocer la selección que desea guardar.

2.7.1. Cargar selección

Para recuperar cualquiera de las selecciones guardadas, tendremos que recurrir entonces al comando Selección>Cargar selección. En este caso, en el cuadro de diálogo que muestra el programa debemos seleccionar en primer lugar el documento donde se encuentra la selección que necesitamos rescatar, y a continuación, en la lista Canal elegiremos alguna de las selecciones disponibles.

3

Capas y máscaras

3.1. Introducción

Las capas permiten tratar de forma independiente los distintos elementos que componen una imagen. Esta característica, además de ser una enorme ventaja, proporciona una amplia libertad para probar, deshacer y en definitiva crear tantas versiones de nuestra imagen como sea necesario. En Photoshop las capas son un elemento fundamental de la aplicación y en operaciones relacionadas con la corrección y el retoque permiten aplicar ajustes sin modificar el aspecto original de la imagen.

En relación con las capas, existen dos componentes dentro de Photoshop que concentran la mayor parte de las operaciones disponibles: el panel **Capas** y el menú **Capa**. Sobre todo, cabe destacar la funcionalidad del panel que, de forma completamente visual, ofrece una referencia clara en todo momento del estado y las propiedades de las capas que conforman la imagen.

> **Truco:** *Para mostrar u ocultar el panel* **Capas***, puede utilizar el comando* **Capas** *del menú* **Ventana** *o la tecla de función* **F7***.*

El panel **Capas** contiene un menú de opciones asociado que aparece después de hacer clic sobre el pequeño botón situado en la esquina superior derecha del panel y que hemos resaltado en la figura 3.1 para que sea más sencillo localizar este importante elemento. Los comandos disponibles en este menú son fundamentales para aprovechar todas las posibilidades de las capas.

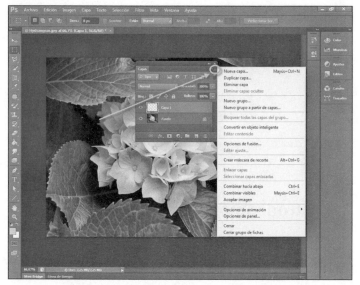

Figura 3.1. Menú asociado al panel Capas.

3.2. Tareas más habituales con capas

Suponemos que conoce las tareas más básicas como ocultar y mostrar capas mediante el pequeño icono representado por un ojo, o mover su posición con tan sólo hacer clic y arrastrar. Pero existen muchas más posibilidades, veamos algunas de ellas.

Habrá ocasiones en las que necesitaremos aplicar determinadas características sobre más de una capa al mismo tiempo. Para no tener que hacerlo una a una, existe la posibilidad de enlazar varias capas. De esta forma, los cambios afectarán a todas las capas enlazadas.

Seleccione todas aquellas capas que desea enlazar manteniendo pulsada la tecla **Control** mientras hace clic en cada una de ellas. Para enlazar todas las capas situadas entre dos determinadas, haga clic en la primera y mientras mantiene pulsada la tecla **Mayús** pulse en la última de las capas. Una vez seleccionada haga clic sobre el primer icono situado en la parte inferior del panel Capas, representado por varios eslabones. Un pequeño símbolo, resaltado en la figura 3.2, indica qué capas están enlazadas.

Figura 3.2. Capas enlazadas.

3.2.1. Combinar capas

La combinación de dos o más capas consiste simplemente en unirlas y así representar todos sus elementos en una sola capa.

Todas las posibilidades de combinación están recogidas en comandos del menú asociado al panel Capas y su descripción es la siguiente:

- Acoplar imagen: Si elegimos esta opción, todas las capas que forman la imagen se unen en una sola.
- Combinar hacia abajo: Une la capa seleccionada y la que se encuentra justo debajo, pero antes, debemos asegurarnos de que ambas se encuentran visibles.
- Combinar visibles: Une todas las capas que se encuentren visibles en el momento de ejecutar este comando. Recuerde, si aparece un pequeño ojo a la izquierda del nombre de la capa es que la capa está visible.
- Combinar capas: Esta opción solamente se encuentra activa cuando tenemos una o más capas seleccionadas y combina en una sola todas la capas seleccionadas en ese momento.

3.3. Opacidad y relleno

El regulador Opacidad del panel Capas permite modificar el grado de transparencia de todo el contenido de la capa, en cambio el regulador Relleno afecta sólo a los elementos pintados o dibujados sobre la capa sin modificar el porcentaje de visibilidad de los efectos o estilos aplicados sobre la capa.

Es posible que la opción Relleno genere algo de confusión y al principio resulte complicado distinguirla del regulador Opacidad, pero pruebe con un sencillo ejemplo; seleccione la herramienta **Pincel** y dibuje varios trazos aleatorios, y después, desde el panel Estilos aplique cualquiera de los efectos disponibles. Una vez hecho esto modifique a discreción los reguladores Opacidad y Relleno para comprobar el resultado.

Truco: Al situar el cursor sobre el nombre del regulador Opacidad *o* Relleno *comprobaremos que el cursor del ratón cambia de forma. En ese momento, haga clic y arrastre hacia la derecha o hacia la izquierda para modificar el valor del control.*

3.4. Bloquear propiedades de capa

Photoshop muestra en la parte superior del panel Capas una serie de iconos, como puede observar en la figura 3.3. Cada uno de ellos permite bloquear determinadas propiedades de la capa, resultando muy útiles como método para evitar la ejecución de ciertas acciones o comandos por error.

De izquierda a derecha, el significado de cada uno de ellos sería el siguiente:

- Bloquear píxeles transparentes: Si activamos este icono no podremos utilizar ninguna herramienta de pintura o comando de edición sobre las zonas transparentes de la capa.
- Bloquear píxeles de imagen: Después de seleccionar este botón comprobaremos que también se activa el icono anterior debido a que esta propiedad evita dibujar sobre cualquier zona de la imagen sea transparente o no.
- Bloquear posición: Evita que podamos desplazar el contenido de la capa por error.

- **Bloquear todas:** El sentido de esta última posibilidad es evidente, engloba todas las opciones anteriores.

Figura 3.3. Bloquear propiedades de capas.

> **Truco:** *La forma más rápida de rellenar una capa con el color de fondo es utilizar la combinación de teclas* **Control-Retroceso***. Pero si prefiere más precisión, puede utilizar* **Mayús-Retroceso** *para mostrar un cuadro de diálogo en el que podrá elegir el color, el modo de fusión y la opacidad.*

3.5. Capas de ajuste o de relleno

Imaginemos una capa de ajuste como una película transparente sobre la que podemos aplicar distintos valores de brillo, tono, contraste, etcétera, con el fin de comprobar cómo afectan estas variaciones a nuestra imagen, pero con la ventaja de poder volver al estado inicial con tan sólo eliminar esta capa de ajuste. Las capas de ajuste afectan a todas las capas inferiores. Por lo tanto, podremos cambiar su posición dentro del panel Capas para comprobar el resultado de sus ajustes en diferentes posiciones.

En el caso de las capas de relleno, el sentido no es otro que cubrir la capa con determinado motivo o efecto y por lo tanto no tienen ninguna repercusión sobre las capas situadas debajo, simplemente las oculta.

Para crear una nueva capa de ajuste o de relleno, haga clic sobre el botón **Crear nueva capa de relleno o ajuste** del panel Capas y al instante aparecerá el menú que nos muestra la figura 3.4 con los distintos valores disponibles para crear este tipo de capas. Los tres primeros: Color uniforme, Degradado y Motivo estarían destinados a crear capas de relleno, mientras que el resto corresponde a modelos de capas de ajuste.

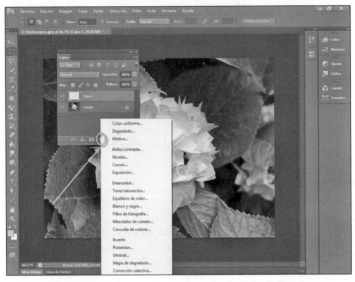

Figura 3.4. Crear nueva capa de ajuste o relleno.

Una vez seleccionada alguna de las opciones aparecerá el panel **Propiedades** donde podrá establecer los valores más adecuados para los parámetros del ajuste. En la figura 3.5 puede comprobar el aspecto del panel **Propiedades** después de seleccionar el ajuste Tono/saturación. En la parte inferior del panel aparecen varios iconos cuyo significado sería el siguiente empezando por el situado más a la izquierda:

- El primero de los iconos permite elegir entre aplicar el ajuste seleccionado a todas las capas que se encuentren debajo o sólo a la inmediatamente inferior.
- El siguiente icono permite comprobar el alcance de los últimos cambios sobre las propiedades del ajuste mostrando el estado anterior.
- Elimina los cambios y establece la configuración inicial de todos los valores.
- Muestra u oculta la capa de ajuste o relleno.
- Finalmente, el último de los iconos elimina la capa de ajuste.

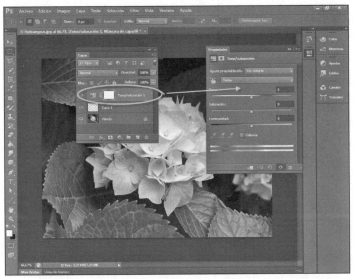

Figura 3.5. Panel Propiedades después de seleccionar el ajuste Tono/saturación.

> **Nota:** *Para modificar los parámetros de configuración de una capa de ajuste, sólo es necesario hacer doble clic sobre ella y Photoshop mostrará del nuevo el panel* Propiedades.

Entre los comandos del menú Capa se encuentra Nueva capa de ajuste y Nueva capa de relleno. Estos comandos tienen el mismo propósito que el botón del panel Capas que ya hemos comentado en los párrafos anteriores, aunque en este caso divididos según el tipo de capa de ajuste.

3.6. Modos de fusión

Los modos de fusión modifican el aspecto de la imagen a partir de la interacción generada entre las tonalidades de la capa actual y las situadas debajo. Tal como puede ver en la figura 3.6 la lista de modos de fusión es bastante amplia.

Aprender por definición el significado de cada uno de los modos de fusión no creemos que sirva de mucho, lo mejor es probar y probar hasta encontrar en cada caso el método de mezcla más adecuado.

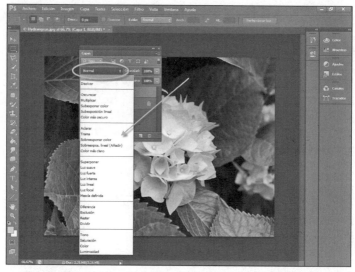

Figura 3.6. Modos de fusión disponibles en el panel Capas.

En cualquier caso estos que nombramos a continuación son los que podríamos considerar como básicos y más utilizados habitualmente:

- **Multiplicar:** Básicamente, este modo multiplica el color original de la imagen por el color aplicado. Puede comparar este modo con el efecto que se obtiene al superponer dos dibujos hechos sobre películas transparentes; el resultado es siempre una imagen más oscura. Además, si alguno de los colores es negro, obtendremos negro como color final, y si es blanco, no se producirá ninguna modificación.

- **Trama:** Produce prácticamente el efecto contrario al modo **Multiplicar**. La manera de conseguirlo es multiplicando el color contrario al original de la imagen por el contrario del color de fusión o color que apliquemos con alguna de las herramientas de edición. Si alguno de los colores es blanco, obtendremos blanco, y si es negro, no habrá cambio.

- **Superponer:** Según el color original de la imagen, se produce una multiplicación o división con el color de fusión. Las luces de la imagen original se mantienen y el color resultante no sustituye al color original, sino que lo complementa.

- **Diferencia:** Tomando en cuenta los valores de brillo de la capa actual, invierte estos mismos parámetros pero en las capas inferiores. Utilizándolo con negro, no produce ningún efecto, y el blanco invierte el color original.
- **Color:** La mezcla se produce entre los valores de tono y saturación aplicados a la capa activa con los parámetros de luminosidad de las capas inferiores. Utilice este modo para resaltar el color de algunas imágenes, así como para colorear aquéllas que se encuentren en un solo color.

> *Truco: Aplica cualquiera de los modos de fusión disponibles y después, utilice las teclas de cursor arriba o abajo para cambiar de una forma cómoda entre el resto de posibilidades disponibles.*

3.6.1. Opciones de fusión

Además de la lista de modos de fusión que acabamos de ver en el apartado anterior, existe la posibilidad de configurar de forma precisa el comportamiento de esta característica.

Haga doble clic sobre una capa distinta de la de fondo, entonces Photoshop muestra el cuadro de diálogo **Estilo de capa**, con la opción **Opciones de fusión** preseleccionada en el margen izquierdo como aparece en la figura 3.7. Aquí encontrará las propiedades que determinan el grado de opacidad de una capa, junto a su modo de fusión y la forma de interacción de estos elementos con las capas situadas debajo.

> *Advertencia: La opacidad y el modo de fusión de una capa también intervienen sobre el comportamiento de las herramientas de pintura y corrección.*

No creemos que aporte demasiado describir técnicamente cada uno de los elementos que componen las opciones de fusión, sobre todo si tenemos en cuenta que en el resultado intervienen multitud de factores como el modo de color, brillo, contraste, los motivos incluidos en la capa, etcétera.

Las opciones de fusión se encuentran divididas en dos secciones: **Fusión general** y **Fusión avanzada**. En la primera de ellas podemos cambiar el modo y regular el grado de opacidad. En segundo lugar, la ventaja de utilizar las opciones avanzadas se centra sobre todo en la posibilidad de tratar de modo independiente cada uno de los canales de la imagen, siendo posible modificar la opacidad de relleno que afecta a los píxeles pintados de la capa y no a los generados a partir de un estilo. De esta forma podremos resaltar mucho mejor el resultado del efecto.

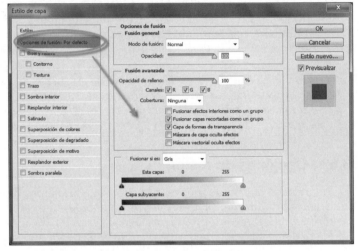

Figura 3.7. Opciones de fusión.

3.7. Estilos de capa

Los estilos de capa proporcionan diferentes modelos de transformaciones preconfiguradas, listas parar utilizar y permiten mejorar el aspecto de nuestros diseños, añadiendo sombras, luces, biseles, relieves, etcétera.

Para utilizar los estilos de capa, tendremos que seleccionar la capa sobre la que deseamos aplicarlos y elegir después alguna de las opciones que aparecen en el comando Estilo de capa del menú Capa. O si lo prefiere, puede utilizar el botón del panel Capas que hemos resaltado en la figura 3.8. Quizás este último método sea el más cómodo de utilizar.

Después de seleccionar cualquiera de los estilos, aparecerá el cuadro de diálogo que se muestra en la figura 3.9, donde no sólo podremos modificar los parámetros que determinan el resultado del efecto, sino que disponemos de la posibilidad de activar y configurar tantos estilos como deseemos.

Figura 3.8. Botón Añadir un estilo de capa.

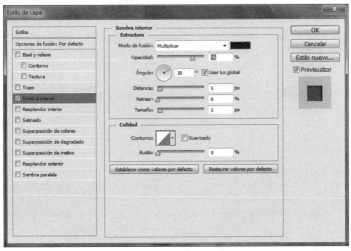

Figura 3.9. Cuadro de diálogo Estilo de capa.

La forma de utilizar el cuadro de diálogo **Estilo de capa** es sencilla, pero es importante conocer el significado de las tres secciones que muestra en su lado izquierdo:

- **Estilos:** Si hacemos clic sobre esta opción, en la parte derecha del cuadro de diálogo aparecerá el contenido del panel Estilos, con ellos podremos aplicar efectos predefinidos de forma rápida y sencilla.

- **Opciones de fusión:** Hemos hablado de esta sección en el apartado anterior. Los parámetros que contiene determinan el modo en que interaccionan los elementos situados sobre la capa con el resto de motivos que componen la imagen.

- **Lista de estilos:** El resto de opciones que aparecen junto a una casilla de verificación no son ni más ni menos que los diferentes estilos de capa que hay disponibles. Basta con hacer clic sobre cualquiera de ellos para que Photoshop muestre inmediatamente el resultado sobre la imagen.

Por defecto, si hemos seleccionado un estilo en el botón del panel Capas, como por ejemplo Sombra paralela, la parte central del cuadro de diálogo mostrará todas las posibilidades de configuración para ese estilo. Si quiere activar cualquier otro estilo, haga clic sobre la casilla de verificación que se encuentra a la izquierda de su nombre, y para modificar sus ajustes, haga clic sobre su nombre.

Una vez abierto el cuadro de diálogo Estilo de capa podemos activar y configurar tantos estilos como deseemos. Es decir, no existe limitación en cuanto al número de estilos que podemos aplicar al mismo tiempo sobre una capa.

*Truco: El botón **Estilo nuevo** del cuadro de diálogo Estilo de capa permite guardar la configuración del estilo o estilos actuales para utilizarlos posteriormente tantas veces como necesitemos.*

Para modificar los parámetros de cualquier efecto de capa haga doble clic sobre el estilo de capa o sobre el símbolo que los representa (las letras *Fx*).

Otra forma de conocer los estilos aplicados sobre una capa es hacer clic con el botón derecho sobre el símbolo de estilo de capa. Una pequeña marca de verificación junto al nombre del estilo indica que se encuentra activo.

*Nota: Para eliminar todos los efectos aplicados sobre una capa, pulse con el botón derecho sobre el símbolo de estilo y seleccione **Borrar estilo de capa.***

3.7.1. Configuración de estilos

Ni mucho menos queremos aburrirle con descripciones técnicas sobre el significado de cada uno de los parámetros que determinan el resultado final de un efecto, aunque creemos que es conveniente comentar aquellos que resultan menos evidentes:

- **Ángulo:** Permite establecer el valor de inclinación con el que incidirá la luz aplicada sobre la capa o sobre toda la imagen. Si activamos la casilla **Usar luz global**, el resultado simula el uso de una fuente de luz constante sobre la imagen.
- **Retraer:** Modifica el valor de opacidad sobre los bordes del efecto en el caso de las sombras o del resplandor interior.
- **Contorno:** Dentro de esta opción se incluyen varios modelos de contornos por defecto que permiten modificar el resultado del efecto sobre los bordes o sobre toda la zona opaca de la capa.
- **Ruido:** El efecto generado por esta opción simula el aspecto de una televisión mal sintonizada. El ruido no es más que píxeles de distintos colores situados a discreción sobre la imagen.
- **Origen:** Esta opción sirve para elegir el punto de partida de un resplandor, desde el centro o desde los extremos de la capa.
- **Extender:** Amplía los límites del efecto, añadiendo píxeles opacos sobre los bordes.

Existen otras opciones con un significado obvio como suavizar, modos de fusión, degradado o bien motivos que tienen el mismo propósito que ya hemos tratado para algunas herramientas y comandos.

3.7.2. Un truco muy útil, copiar y pegar estilos de capa

Si, después de aplicar uno o varios estilos, desea utilizarlos en otras capas, haga clic con el botón derecho sobre el símbolo de estilo y seleccione el comando Copiar estilo de capa. A continuación, haga de nuevo clic con el botón derecho pero esta vez sobre la capa en la que desea usar los estilos copiados y seleccione el comando Pegar estilo de capa.

> *Truco: Para aplicar el mismo estilo a más de una capa, puede seleccionarlas primero, y después utilizar el comando* Pegar estilo de capa. *De este modo ahorrará tener que hacerlo una a una.*

3.8. Máscaras de capa

Las máscaras y las capas son conceptos que van irremediablemente juntos dentro del proceso de trabajo con Photoshop. Una de las grandes ventajas de las máscaras es que no se altera en ningún caso el contenido de la capa. Además, toda la información relacionada con las máscaras también se almacena en al archivo PSD con el resto de características de la imagen, con lo que podemos recuperarlas y modificarlas tantas veces como sea necesario. Desde el punto de vista del retoque fotográfico, las posibilidades que nos ofrecen estarían dirigidas principalmente a crear composición y efectos de transición sobre nuestras imágenes.

3.8.1. Cómo crear una máscara

Existen varios métodos para crear una máscara, pero quizás el más sencillo es seleccionar la capa a la que quiere asociarle la máscara y luego hacer clic en el botón **Añadir máscara de capa**, situado en la parte inferior del panel Capas. A la derecha de la miniatura que simula el contenido de la capa, aparece otra pequeña muestra que representa el aspecto de la máscara. Si observa la figura 3.10, podrá entenderlo mejor.

Lo primero que debemos hacer antes de trabajar con una máscara de capa es seleccionarla y, para ello, necesitamos hacer clic sobre su miniatura en el panel Capas. En ese momento, observe cómo en el selector de color del panel Herramientas aparece el color negro como color de primer plano, y el blanco como color de fondo. La razón de este cambio viene dada porque al pintar sobre una máscara de capa sólo usaremos tonalidades de grises, teniendo en cuenta que el color blanco permite generar transparencia y el negro, crear opacidad.

Figura 3.10. Máscara de capa.

Las herramientas de edición más utilizadas en el tratamiento de máscaras de capa son el **Pincel** y el **Lápiz**, sin olvidar los degradados, con los que podremos conseguir resultados espectaculares.

3.8.2. Ejemplo práctico

Para ver un ejemplo más claro de cómo trabajar con máscaras de capa, observe las dos imágenes de la figura 3.11. El objetivo es crear una transición entre ellas de manera que una se funda suavemente sobre la otra.

Los pasos necesarios serían los siguientes:

1. Abra dos imágenes para utilizarlas como ejemplo.
2. Haga clic sobre una de las dos imágenes, y seleccione el comando Selección>Todo. Después utilice la combinación de teclas típicas para copiar, **Control-C**.

Figura 3.11. Imágenes iniciales para el ejemplo de máscaras.

3. A continuación crearemos una nueva imagen, tomando como referencia las proporciones de la imagen que acabamos de seleccionar. Haga clic en Archivo>Nuevo, y después en el botón **OK**.

4. Al instante, Photoshop abrirá una nueva ventana de archivo. Use la combinación de teclas **Control-V** para colocar la imagen que cortamos en el paso 2 y que estaba en el portapapeles del sistema desde este punto.

5. En estos momentos tendremos una capa de fondo en blanco y otra capa con una de las imágenes de ejemplo. Para continuar, haga clic sobre la imagen que aún no hemos usado y seleccione el comando Selección> Todo. Después utilice la combinación de teclas típicas para copiar, **Control-C**.

6. Vuelva a la imagen nueva, creada para este ejemplo, y utilice la combinación de teclas **Control-V**. Con esto ya tenemos todos los elementos preparados para llevar a cabo la transición.

7. En el panel Capas, compruebe que se encuentra seleccionada la capa superior, si no es así, haga clic sobre ella. A continuación, añada una máscara a la imagen situada en esta capa superior mediante el icono Añadir máscara del panel Capas.

Para conseguir el fundido, utilizaremos la herramienta **Degradado**; selecciónela y compruebe que por defecto se encuentra activado el primer modelo, degradado lineal. Después, haga clic en la miniatura de la máscara y, con la herramienta **Degradado**, describa una diagonal entre las dos esquinas de la imagen. El aspecto del panel Capas después de realizar todas estas acciones debe ser similar al que muestra la imagen de la figura 3.12.

Figura 3.12. El panel Capas después de crear la máscara y aplicar el degradado sobre ella.

Truco: Si no queda conforme con el resultado de la herramienta Degradado, vuelva a describir la trayectoria tantas veces como sea necesario hasta conseguir el efecto que más le guste.

Para finalizar, reduciremos la opacidad de la capa sobre la que hemos aplicado la máscara hasta el 80 por ciento. En la figura 3.13 se aprecia el resultado final.

Nota: *Entre las miniaturas de la capa y de la máscara aparece por defecto un pequeño símbolo de enlace, indicando que cualquier cambio afectará tanto a la capa como a la máscara. Si no desea que ocurra así, haga clic sobre este símbolo para desactivar la propiedad.*

Si lo desea puede asociar más de una máscara a una misma capa. En este caso los resultados se superpondrán teniendo en cuenta el orden de las máscaras de izquierda a derecha y el grado de opacidad de cada una de ellas.

Figura 3.13. Resultado final de nuestro ejemplo.

3.8.3. Eliminar una máscara

Para eliminar una máscara de capa debe seleccionarla en primer lugar; después utilizaremos el icono **Eliminar capa** del panel Capas.

En ese instante, aparece un cuadro de diálogo donde debemos decidir si queremos aplicar los efectos de la máscara antes de eliminarla.

Si elegimos el botón **Aplicar**, la máscara desaparece, pero sus efectos quedan plasmados sobre la capa, sustituyendo a la imagen original. Si lo que deseamos es simplemente eliminar la máscara, seleccionaremos el botón **Eliminar**.

Truco: Otra forma de eliminar una máscara es hacer clic con el botón derecho del ratón sobre ella y seleccionar el comando Eliminar máscara de capa. *En este caso, no aparecerá ningún cuadro de diálogo de confirmación.*

También es posible eliminar cualquier máscara desde el panel Propiedades, seleccionando el pequeño icono situado en la esquina inferior derecha.

3.8.4. Ocultar temporalmente una máscara

Si no desea eliminar una máscara pero quiere comprobar el aspecto de la imagen sin ella, puede ocultarla temporalmente. Para hacerlo, pulse con el botón derecho del ratón sobre la miniatura de la máscara que quiere ocultar y seleccione el comando Deshabilitar máscara de capa; en ese momento, la miniatura que representa la máscara aparecerá tachada.

Para volver a activar la máscara, realice la misma operación pero, en este caso, seleccione el comando Habilitar máscara de capa.

3.9. Propiedades de las máscaras

Haga doble clic sobre la representación de la máscara en el panel Capas y al instante Photoshop mostrará el panel Propiedades con la configuración que puede observar en la figura 3.14.

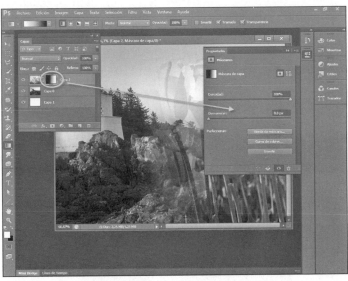

Figura 3.14. Panel Propiedades.

En él se incluye una serie de reguladores, botones y pequeños iconos que describimos a continuación:

- **Densidad:** Este primer regulador permite controlar la opacidad de la máscara, es decir, el grado de transparencia con respecto a los elementos de la capa.
- **Desvanecer:** Con esta opción podremos mejorar el suavizado de los bordes de la máscara aunque también veremos cómo aplicar esta posibilidad desde el cuadro de diálogo que muestra el botón **Borde de máscara**.

Además de estos dos reguladores, en la sección **Perfeccionar** del panel Máscara se encuentran disponibles tres botones:

- **Borde de máscara:** Haga clic sobre este botón y aparecerá un cuadro de diálogo como el que muestra la figura 3.15. A simple vista podrá comprobar que es idéntico al cuadro de diálogo **Perfeccionar bordes** que tratamos en el capítulo dedicado a las herramientas de edición. En realidad, la función de cada una de las opciones es la misma pero esta vez aplicada a la máscara activa, es decir, podemos suavizar sus bordes, aumentar o disminuir el radio de sus esquinas, variar el contraste, contraerla o expandirla, etcétera. Y además de todas estas posibilidades, en la parte inferior del cuadro de diálogo dispone de diferentes modelos de previsualización.

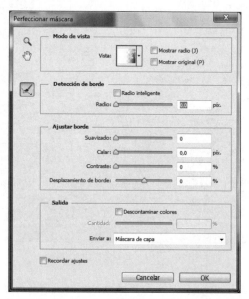

Figura 3.15. Cuadro de diálogo Perfeccionar máscara.

- **Gama de colores**: Utilice el cuadro de diálogo que aparece después de seleccionar este botón para crear máscaras a partir de cualquier tonalidad predominante de la imagen. Tanto el cuadro de diálogo como su funcionalidad son prácticamente las mismas que tratamos para el comando **Reemplazar color** del menú **Imagen> Ajustes**.
- **Invertir**: Pasa las zonas opacas a transparentes así como las transparentes a opacas.

En la parte inferior del panel, encontramos cuatro pequeños iconos cuyo significado, de izquierda a derecha, sería: Carga la selección actual, hacer efectivos todos los ajustes del panel, mostrar u ocultar la máscara activa y eliminar la máscara.

> **Nota:** *Aunque podemos trabajar con máscaras sin recurrir al panel, no desaproveche las funcionalidades y herramientas que proporciona.*

Photoshop no sería Photoshop sin las capas. Éste es sin duda uno de los elementos más importantes que debemos conocer si pretendemos aprovechar a fondo sus posibilidades. Hemos trabajado con los grupos de capas como forma para mejorar la organización de nuestros trabajos. También descubrimos cómo las composiciones de capas ofrecen la posibilidad de incluir en un mismo archivo distintas versiones de una imagen.

Las máscaras son un aliado imprescindible en labores de diseño y fotocomposición que debemos conocer. En este capítulo, no solamente hemos aprendido cómo se crean, también hemos visto algunos trucos para aprovechar al máximo sus propiedades.

Pinceles

4.1. Introducción

Los pinceles no son ni mucho menos una característica exclusiva de la herramienta **Pincel**, otras muchas herramientas de pintura, retoque y corrección los utilizan. Concretamente, todas aquellas donde aparecen a la izquierda de la barra de opciones dos iconos que nos proporcionan acceso al selector de pinceles preestablecidos y al panel Pincel. En la figura 4.1 hemos resaltado estos iconos para que no tenga ningún problema a la hora de localizarlos.

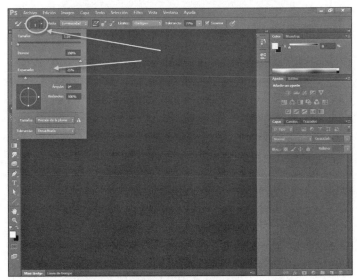

Figura 4.1. Acceso directo a los pinceles
desde la barra de opciones.

Photoshop dispone de diferentes modelos, estilos y formas de pinceles que permiten elegir el trazo y el efecto más adecuado en cada caso. En este sentido, la gran variedad de opciones que ofrecen las posibilidades de configuración de pinceles en Photoshop aumentan enormemente las capacidades creativas del programa.

4.2. Panel Pincel

Las posibilidades de los pinceles en Photoshop han ido evolucionando hasta la versión actual, donde resulta realmente sorprendente tanto la sencillez de uso como la potencia de su interfaz.

Pero lo mejor será que nos dejemos de alabanzas y veamos la manera de sacar todo el partido al panel Pincel. En primer lugar, si queremos acceder a él podemos usar el comando Pincel del menú Ventana o usar la tecla de función F5. La primera vez que mostremos este panel tendrá un aspecto similar al que muestra la figura 4.2.

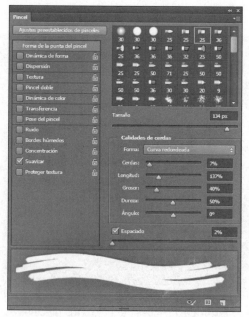

Figura 4.2. Aspecto por defecto del panel Pincel.

Una vez abierto el panel Pincel, nos fijaremos en las opciones que aparecen en su margen izquierdo, donde podemos distinguir el botón denominado Ajustes preestablecidos de pinceles que proporciona acceso rápido al panel del mismo nombre y del que hablaremos en este mismo capítulo.

El segundo grupo de opciones del panel **Pincel**, encabezado por la entrada denominada Forma de la punta del pincel, está a su vez dividido en dos partes. Por un lado, tenemos las propiedades que admiten configuración, incluyendo distintos parámetros para ajustar el resultado y, por otra parte, tenemos las propiedades que sólo se pueden activar o desactivar.

El control deslizante Tamaño, situado bajo la lista de pinceles, permite modificar el grosor del pincel seleccionado.

Truco: Siempre que estemos utilizando alguna herramienta de pintura, podemos acceder a las opciones básicas de pinceles con tan sólo hacer clic con el botón derecho del ratón como puede ver en la figura 4.3.

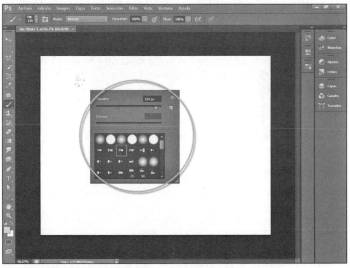

Figura 4.3. Opciones de pincel asociadas al botón derecho de cualquier herramienta de pintura.

Para entender y aprovechar todas las posibilidades de los pinceles, a continuación mostramos la descripción de las opciones que admiten configuración:

- **Dinámica de forma**: Activando esta opción conseguiremos que el trazo del pincel no sea constante, sino que cambie según la pauta que le marquemos. Los parámetros que podemos modificar durante el trazo son: el tamaño, el diámetro mínimo, el ángulo y la redondez. Mientras mayor sea el porcentaje que indiquemos para cada uno de estos valores, más inestable será el trazo del pincel. Por otra parte, las opciones que aparecen en las listas desplegables sirven para controlar el aspecto de cada una de las variaciones, por ejemplo: podremos aplicar transiciones, difuminar el trazo o, incluso, si disponemos de una tableta digitalizadora sensible a la presión, modificar el trazo según el ángulo de inclinación de la pluma electrónica.

- **Dispersión**: Podríamos decir que el efecto que conseguimos cuando activamos esta opción es similar al que ocurre en la vida real cuando pintamos con brochas muy utilizadas o bastante deterioradas. Es decir, el trazo del pincel no será homogéneo, sino que aparecerá diseminado según los valores de **Dispersión**, **Cantidad** y **Variación de la cantidad**. El primero de ellos determina la separación de las marcas y el segundo, la cantidad de éstas. La figura 4.4 muestra un ejemplo en el que hemos utilizado un valor alto de Dispersión y uno bajo de Cantidad. Por último, la casilla de verificación **Ambos ejes** define la distribución de las marcas: radial o perpendicular al trazo del pincel.

- **Textura**: Entre las sorprendentes posibilidades que ofrece el panel **Pincel** se encuentra ésta, que permite ni más ni menos que seleccionar una textura determinada y conseguir efectos tan sugerentes como los de la figura 4.5.

- **Pincel doble**: Aquí también nos tenemos que quitar el sombrero, ya que la opción es realmente interesante. Se trata de simular el uso de un pincel con dos puntas y cada una de ellas configurada de un modo distinto. Mientras para la primera Photoshop tomará los valores establecidos en el resto de opciones del panel, para la segunda deberemos elegirlos entre las posibilidades que aparecen al activar esta opción.

- **Dinámica de color**: Su uso provoca cambios aleatorios en el color del trazo, pudiendo incluso definir transiciones entre el color de fondo y el de primer plano con tan sólo activar la opción **Transición** en la lista desplegable **Control**. Combinando esta opción junto con las dos anteriores conseguiremos efectos tan espectaculares como muestra la figura 4.6. Lástima que las figuras de este libro no sean en color.

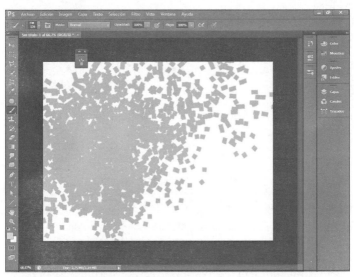

Figura 4.4. Valor alto de dispersión en el trazo del pincel.

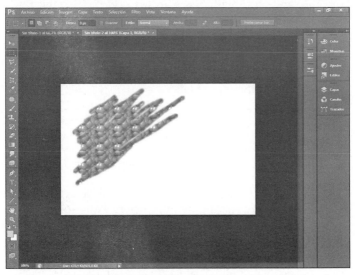

Figura 4.5. Resultado de aplicar texturas al trazo del pincel.

Figura 4.6. Espectaculares efectos combinando diferentes configuraciones del pincel.

- **Transferencia:** Con esta opción conseguirá que el trazo del pincel no sea regular mediante el ajuste de los valores de opacidad y de flujo. El primero de ellos hace referencia al grado de transparencia del trazo, mientras que el segundo controla la intensidad del mismo.
- **Pose de pincel:** Parece que la imaginación de los ingenieros de Adobe no tiene fin. Esta opción nos permite simular la inclinación y la presión del pincel, imitando su comportamiento real.

Advertencia: Un pequeño triángulo amarillo junto al nombre de alguna de las opciones de configuración de pinceles indica que esa propiedad sólo será efectiva al cien por cien si utilizamos una tableta digitalizadora sensible a la presión.

En la segunda parte de la sección Forma de la punta del pincel, encontramos las siguientes opciones que sólo pueden activarse o desactivarse y por lo tanto no incluyen ningún parámetro de configuración:

- **Ruido:** Este valor hace referencia a cierto grado de distorsión que se aplica sobre el trazo del pincel.

- **Bordes húmedos:** Cuando activamos esta opción, el área central del trazo queda más clara, simulando un efecto de pintura al agua o acuarela.
- **Concentración:** Podríamos decir que esta opción sería equivalente al simulador de aerógrafo asociado a la herramienta **Pincel**, generando trazos con gran cantidad de pintura y sensibles a la cantidad de tiempo que permanezcamos en un punto.
- **Suavizar:** Atenúa los rasgos duros del trazo, haciéndolos algo más suaves. Es posible que se genere cierto retardo en la representación cuando habilitamos este parámetro.
- **Proteger textura:** Permite mantener la textura seleccionada junto con sus valores de configuración para todos los pinceles predefinidos de la colección que utilicen texturas.

A la derecha de todas las opciones de configuración aparece un pequeño candado. Este icono permite bloquear cualquiera de las propiedades disponibles y, de esta forma, evitar que sean modificadas por descuido o error.

4.3. Panel Ajustes preestablecidos de pinceles

Como hemos comentado al principio del capítulo existen dos paneles asociados al trabajo con pinceles. El panel Pincel descrito en el aparado anterior permite realizar ajustes avanzados y nos ofrece acceso a todas las posibles configuraciones para este tipo de elementos. Por otra parte, el panel Ajustes preestablecidos de pinceles muestra multitud de pinceles ya creados y configurados para su utilización inmediata. Para acceder a este panel puede:

- Usar el comando Ventana>Pinceles preestablecidos.
- Hacer clic sobre el botón **Ajustes preestablecidos de pinceles** del panel Pincel.
- Seleccionar el icono situado en el extremo izquierdo de la barra de opciones para todas aquellas herramientas de edición que requieran el uso de pinceles.
- Hacer clic con el botón derecho sobre la imagen mientras se encuentra seleccionada alguna herramienta de edición o pintura.

Las dos últimas posibilidades mostrarán el panel **Ajustes preestablecidos de pinceles** en su versión reducida pero igualmente práctica y funcional. A partir de aquí, para usar cualquiera de ellos será suficiente con hacer clic sobre el que más nos guste. Para muchos de los modelos de pinceles disponibles, Photoshop muestra una vista previa de su forma que nos puede ayudar a elegir el más adecuado.

Observe en la figura 4.7 la pequeña ventana que aparece en la esquina superior izquierda. Esta vista es completamente interactiva y muestra el comportamiento del pincel mientras lo utiliza. También puede hacer clic sobre ella para que muestre diferentes perspectivas del modelo de pincel elegido.

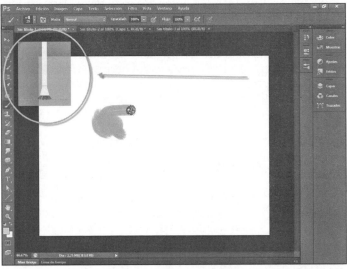

Figura 4.7. Vista previa del pincel actual.

Para activar o desactivar la vista previa del pincel debemos utilizar el icono que hemos resaltado en la figura 4.8. Esta opción se encuentra disponible tanto en el panel **Pincel** como en **Ajustes preestablecidos de pinceles.**

> ***Truco:*** *Si desea añadir nuevas y sorprendentes colecciones de pinceles al panel* **Ajustes preestablecidos de pinceles,** *haga clic en el pequeño botón resaltado en la figura 4.9 para mostrar el menú asociado. Elija cualquiera de las colecciones que aparecen al final: Pinceles caligráficos, Pinceles gruesos...*

y, después, en el cuadro de diálogo que muestra el programa, decida si quiere sustituirlos por los que muestra en ese momento el panel o añadirlos para utilizarlos indistintamente.

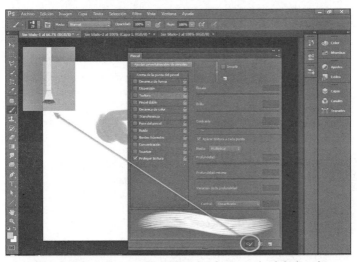

Figura 4.8. Activar o desactivar la vista previa del pincel.

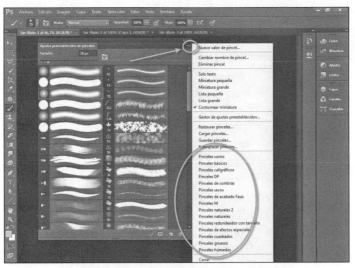

Figura 4.9. Botón y menú asociado al panel
Ajustes de pinceles preestablecidos.

4.4. Crear un nuevo pincel

No siempre encontraremos el pincel que necesitemos entre los modelos predefinidos que ofrece Photoshop; por esta razón, si lo deseamos, el programa permite crear nuestros propios pinceles y, cómo no, incluirlos en el panel para utilizarlos cuando los necesitemos.

Para crear un nuevo pincel, debe seguir estos pasos:

1. Seleccione alguno de los modelos de pinceles disponibles; si es posible, elija aquel que se aproxime más al que necesita.
2. Modifique sus propiedades para crear exactamente el tipo de pincel que desee.
3. Haga clic ahora en el botón que hemos resaltado en la figura 4.10 o seleccione el comando **Nuevo valor de pincel** en el menú asociado tanto al panel **Pincel** como al panel **Ajustes preestablecidos de pinceles**.
4. En el cuadro de diálogo que aparece, introduzca el nombre del nuevo pincel y haga clic en **OK**.

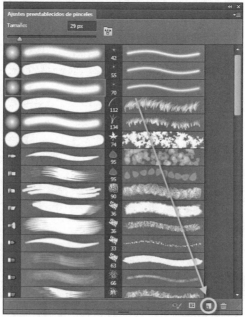

Figura 4.10. Botón para crear un nuevo pincel.

> **Truco:** *La forma más rápida de eliminar cualquier pincel pre-establecido o de cambiar su nombre es hacer clic con el botón derecho sobre él.*

4.5. Gestor de ajustes preestablecidos

Al principio del capítulo anterior comprobamos de qué forma Photoshop ofrecía la posibilidad de guardar los ajustes de nuestras herramientas en la barra de opciones o incluso en su propio panel para, de esta forma, disponer de un método cómodo y sencillo de acceder a las ya configuradas.

Del mismo modo, en el apartado anterior hemos descrito las posibilidades del panel Ajustes preestablecidos de pinceles, que en realidad no es otra cosa que decenas de pinceles previamente configurados y listos para utilizarlos cuando los necesitemos.

Pero aquí no acaba todo; seleccione, en el comando Edición> Ajustes preestablecidos>Gestor de ajustes preestablecidos. Al instante aparecerá el cuadro de diálogo que podemos ver en la figura 4.11, donde encontrará todas aquellas colecciones de elementos preconfigurados disponibles en Photoshop como: degradados, motivos, muestras, contornos y por supuesto, herramientas y pinceles.

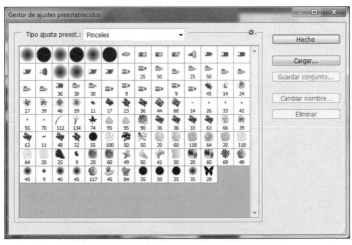

Figura 4.11. Gestor de ajustes preestablecidos.

La principal ventaja del Gestor de ajustes es la de ofrecer una interfaz común para administrar todos los conjuntos de elementos incluidos por defecto en el programa. En la lista situada en la parte superior podremos seleccionar el grupo de elementos y, después, los botones situados a la derecha sirven para eliminar, crear o cargar nuevos grupos. Por último, el pequeño botón circular que se encuentra a la derecha de la lista principal mostrará el menú asociado a cada componente.

> *Truco:* *También podemos acceder al Gestor de ajustes desde el pequeño botón situado en la parte inferior del panel* Pincel y Ajustes preestablecidos de pinceles.

Los pinceles en Photoshop son utilizados por muchas de las herramientas que conforman la aplicación. Son, sin duda, un elemento imprescindible en trabajos tan distintos como el retoque fotográfico, la edición de imágenes o el diseño.

Los paneles Pincel y Ajustes preestablecidos de pinceles son de los componentes más importantes del programa e incluyen multitud de pinceles predefinidos, así como infinitas posibilidades de configuración para trabajar con estos elementos. Aprovechando sus opciones, podremos crear nuestros propios pinceles o bien modificar cualquiera de los incluidos por defecto.

5

Herramientas de retoque

5.1. Introducción

Photoshop permite desde restaurar los viejos retratos de nuestros abuelos hasta arreglar esa dichosa fotografía en la cual hemos salido con los ojos cerrados o con las pupilas rojas. Este capítulo y el siguiente agrupan las soluciones para los problemas más comunes: ojos rojos, falta de luz, colores apagados, problemas de exposición, corrección de lente, etcétera.

Existen herramientas en Photoshop que tienen propiedades increíbles. Algunas son capaces de distinguir el contorno de un objeto y eliminar el fondo de manera automática, otras permiten hacer magia y consiguen borrar elementos u objetos de una fotografía sin dejar rastro. El los siguientes apartados trataremos las más importantes junto con sus opciones más significativas.

> **Nota:** *Continuamente aparece en los medios de comunicación, noticias sobre las maravillas que hace Photoshop con las fotos de "famosas". Seguro que tras leer este capítulo entenderá mucho mejor hasta donde podemos llegar en este campo.*

5.2. Pincel corrector

El Pincel corrector es de ese tipo de herramientas que podemos considerar como "mágicas" ya que sus resultados son realmente sorprendentes, pero antes de explicar su funcionamiento observe la figura 5.1. Como verá se trata de un magnífico antiarrugas.

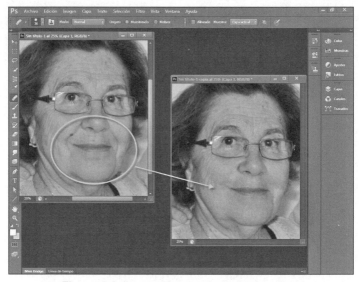

Figura 5.1. Imagen antes y después de utilizar la herramienta Pincel corrector.

Seguro que después de ver el ejemplo se le ha ocurrido más de una idea para utilizar el **Pincel corrector**. Su funcionamiento es aparentemente sencillo pero el trabajo que realiza es muy complejo. El pincel toma una muestra de la zona que indiquemos y después la aplica sobre el área de destino, pero no de cualquier forma, en realidad compara la textura, los valores de brillo, iluminación y contraste, e incluso el sombreado de los píxeles adyacentes de forma que el resultado de la clonación sea prácticamente perfecto.

Toda esta teoría seguro que le ha parecido muy interesante, pero lo mejor será que veamos cómo podemos aplicarla:

1. Seleccione la herramienta **Pincel corrector** (su atajo de teclado es la tecla **J**).
2. Después, mantenga pulsada la tecla **Alt** y haga clic en la zona de la imagen que quiera tomar como referencia. Ésta será la muestra que utilice el Pincel corrector para reparar el área de destino.
3. Haga clic, mantenga pulsado el botón izquierdo del ratón y arrastre sobre la zona que desee corregir. La cruz que aparece mientras utiliza esta herramienta, indica la zona que se está usando como muestra. Si la imagen

es complicada, lo mejor será que tenga un poco de paciencia y evite los trazos largos; conseguirá mejores resultados.

> *Truco: Si lo desea puede utilizar el Pincel corrector entre dos imágenes distintas. El único requisito es que se encuentren en el mismo modo de color.*

5.2.1. Opciones de Pincel corrector

Además de las opciones habituales de Pincel y Modo, se encuentran otras realmente interesantes:

- **Origen**: En la última secuencia de pasos aprendimos a utilizar la herramienta **Pincel corrector** tomando como referencia una muestra de la propia imagen; pues bien, si en lugar de hacerlo así queremos usar una textura o cualquier otro patrón, podemos elegir la opción Motivo y seleccionar en la lista el diseño que más nos guste.
- **Alineado**: Si esta casilla permanece desactivada, el área tomada como muestra será siempre la misma; en cambio, si la activamos se desplazará siguiendo el recorrido del cursor. Haga la prueba activando y desactivando esta opción para comprender mejor su funcionamiento.
- **Muestra**: Active esta opción del **Pincel corrector** si desea utilizar para la muestra todas las capas de la imagen, sólo la capa activa o bien la capa activa y la situada justo debajo.

> *Nota: Sin lugar a dudas el **Pincel corrector** es la herramienta favorita de modelos y famosas que quiere aparecer "mejoradas" en portadas y revistas.*

5.3. Pincel corrector puntual

La diferencia principal entre esta herramienta y el **Pincel corrector** es que en este caso no existe una muestra previa utilizada como patrón para corregir una zona determinada. El **Pincel corrector puntual** soluciona pequeñas imperfecciones en la imagen, simplemente tomando como referencia los píxeles situados alrededor del lugar en el que hacemos clic con la herramienta.

El **Pincel corrector puntual** es una herramienta realmente útil a la hora de solucionar pequeños desperfectos en fotografías, ya que toma como referencia los valores de luminosidad, textura y sombras para llevar a cabo la corrección de los píxeles seleccionados.

5.4. Parche

Esta herramienta, al igual que la herramienta **Pincel corrector**, no sólo permite reparar áreas de una imagen tomando como referencia una muestra de la misma, sino que además compara las zonas de origen y de destino para que la fusión sea perfecta. Existen dos modos de utilizar la herramienta **Parche**. Veamos el primero de ellos:

1. Seleccione la herramienta **Parche** y en la barra de opciones, active el botón de opción denominado Origen.
2. Haga clic y mantenga pulsado el botón izquierdo para describir el área que desea reparar. Cuando termine, suelte el botón y la zona quedará seleccionada.
3. Sitúe el cursor dentro de la selección, haga clic y arrastre hasta la zona de la imagen que desee utilizar como muestra para corregir la zona seleccionada.
4. Suelte el botón del ratón para finalizar el proceso.

El segundo de los métodos es similar:

1. Seleccione la herramienta **Parche** y en la barra de opciones, active el botón **Destino**.
2. Haga clic y mantenga pulsado el botón izquierdo para describir el área que desea utilizar como muestra. Cuando termine, suelte el botón.
3. Sitúe el cursor dentro de la selección, haga clic y arrastre hasta la zona de la imagen que desee corregir.
4. Suelte el botón del ratón para finalizar el proceso.

Quizás el funcionamiento de esta herramienta resulte algo confuso al principio; por este motivo, veamos un ejemplo. Imagine la fachada de una casa de la quiere hacer desaparece una ventana. Pues bien, lo primero es rodear la ventana en cuestión con la herramienta **Parche** para que aparezca dentro del área de recorte. A continuación, es necesario hacer clic sobre el área descrita y arrastrarla hasta una zona de la fachada en la que sólo exista pared como muestra la figura 5.2.

Photoshop tomara como referencia esta zona de la imagen y la trasladará hasta la que hemos seleccionado en primer lugar, pero no de cualquier forma. Tendrá en cuenta valores de luminosidad, tonalidades del entorno, brillo, etcétera, para que el resultado sea el más adecuado en cada caso.

Figura 5.2. Toma zona de referencia.

*Truco: Si lo desea, puede utilizar las herramientas de selección para describir el área de origen o de destino, antes de seleccionar la herramienta **Parche**.*

Por último, diremos que si desea modificar el área seleccionada, añadiendo o eliminando zonas, mantenga pulsada la tecla **Alt** para reducir el área marcada o la tecla **Mayús** para ampliarla. El resultado de nuestro ejemplo lo pude comprobar en la figura 5.3.

5.5. Tampón de clonar

Simplificando mucho, la herramienta **Tampón de clonar** permite reproducir y copiar partes de nuestra imagen dentro de la propia imagen o en otra diferente.

Figura 5.3. Resultado del retoque.

Aunque al principio resulta idéntica, es una herramienta mucho más simple que el **Pincel corrector** o el **Parche**, puesto que no tiene en cuenta los valores de brillo, contraste, sombras, etcétera, a la hora de fusionar las zonas copiadas.

Para comprobar las posibilidades reales que posee esta herramienta, observe detenidamente las dos imágenes de la figura 5.4.

Como por arte de magia, en la imagen de la derecha falta el faro y, por mucho que nos fijemos resulta casi imposible encontrar algún rastro de lo ocurrido.

Pues bien, este "truco" ha sido posible gracias a la herramienta **Tampón de clonar**, cuyo modo de funcionamiento sería el siguiente:

1. Despliegue la lista Muestra en la barra de opciones y seleccione Todas para que la muestra tome en cuenta el conjunto de la imagen y no sólo la capa activa.
2. Elija el pincel que quiere utilizar, el modo de fusión y la opacidad que desee.
3. Ya en la imagen, mantenga pulsada la tecla **Alt** y haga clic sobre la zona de la imagen que quiere tomar como muestra. Mientras realiza esta operación, el cursor se transformará en un pequeño punto de mira.

Figura 5.4. El juego de las diferencias.

4. Ahora haga clic sobre el área de la imagen donde desee aplicar la muestra seleccionada. Igual que ocurría con el Pincel corrector, una pequeña cruz indica el punto de origen de la muestra.
5. Repita esta última operación tantas veces como sea necesario hasta conseguir el efecto deseado.

> *Truco: Si a la hora de aplicar la muestra seleccionada, mantenemos pulsado el botón izquierdo del ratón y arrastramos, el punto de referencia también se desplazará. Ésta es la mejor forma de clonar toda una zona de la imagen sin tener que estar continuamente tomando muestras.*

> *Advertencia: El pequeño icono situado a la derecha de la lista* Muestra, *sirve para tener en cuenta o no a la hora de clonar, las capas de ajuste definidas en la imagen.*

5.6. Relleno según contenido

Ya conocemos herramientas "mágicas" como el **Tampón de clonar**, **Pincel corrector** o **Parche**.

Con todas ellas podemos eliminar elementos de una imagen sin demasiadas complicaciones aunque si el área es demasiado amplia quizás nos interese las posibilidades del comando Rellenar.

El comando Rellenar de Photoshop es capaz de eliminar cualquier elemento de una imagen y sustituir el espacio con elementos del entorno para que parezca que nunca ha estado ahí. El resultado es razonablemente bueno en la mayoría de los casos pero bien es cierto que en determinadas ocasiones será necesario retocar el trabajo con otras herramientas como el **Pincel corrector**.

La forma de utilizar el comando Rellenar es relativamente sencilla. Para nuestro ejemplo tomaremos la imagen que puede ver en la figura 5.5 donde el objetivo será eliminar el tranquilo pescador que está estropeando nuestro idílico paisaje.

Figura 5.5. Imagen inicial para trabajar con el comando Rellenar.

Siga estos pasos:

1. Abra la imagen que quiere modificar, y seleccione el elemento que quiere hacer desaparecer. Esta es la parte más importante del proceso, por lo que le recomendamos que se tome su tiempo. La herramienta **Selección rápida**, será probablemente la opción más adecuada.

2. Una vez realizada la selección, haga clic en el botón **Perfeccionar bordes** para abrir el cuadro de diálogo del mismo nombre. En nuestro caso hemos aplicado un desplazamiento de borde positivo de un 70 por ciento y un suavizado de 14. Haga clic en **OK** para cerrar el cuadro de diálogo y aceptar los cambios.
3. En el menú Edición, seleccione el comando Rellenar para acceder al cuadro de diálogo que puede ver en la figura 5.6. Despliegue la lista Usar y elija la opción Según el contenido.

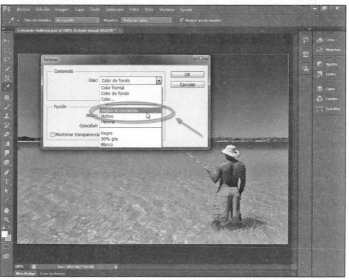

Figura 5.6. Cuadro de diálogo Rellenar.

4. Tras unos instantes, el resultado será una bonita playa desierta como puede ver en la figura 5.7.

Es probable que después de los pasos anteriores la imagen necesite algunos ajustes. El **Pincel corrector** le puede ayudar a mejorar esos pequeños detalles.

Advertencia: Las opciones Calar *y* Contraste *del cuadro de diálogo* Perfeccionar bordes *no suelen ser buenas aliadas del comando* Rellenar *por lo que le recomendamos que deje sus valores a cero.*

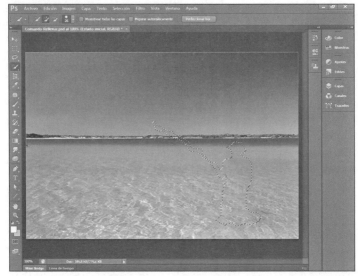

Figura 5.7. Resultado final.

5.7. Herramientas de borrado

La herramienta **Borrador** también ha evolucionado notablemente en Photoshop. Si bien es cierto que sigue disponible existen dos nuevas variantes que comentamos a continuación que nos pueden ayudar a "retocar" nuestras imágenes.

5.7.1. Borrador de fondos

El **Borrador de fondos** permite convertir en transparentes determinados píxeles de una capa. Hasta aquí nada nuevo, pero si le decimos que dispone de la capacidad de reconocer los límites o bordes de cualquier motivo dibujado sobre la capa, a partir de un cierto valor de tolerancia que nosotros mismos controlamos, la cosa cambia bastante. El funcionamiento se basa en reconocer el color de los píxeles (muestra) sobre los que hacemos clic la primera vez y eliminar al arrastrar todos aquellos que mantengan el mismo tono o similar, en función del valor de tolerancia elegido.

Para entender mejor el funcionamiento de esta herramienta, observe la figura 5.8.

La ventana derecha muestra el estado original de la imagen, mientras que la izquierda es el resultado de utilizar la herramienta **Borrador de fondos** sobre el contorno del objeto. Si se fija, el área del cursor de borrado incluye parte del objeto, pero sólo se hace transparente el área de color blanco que lo rodea, respetando estrictamente los detalles del perímetro del objeto.

Figura 5.8. Ejemplo de uso de la herramienta Borrador de fondos.

Las opciones disponibles para esta herramienta determinan su comportamiento, por lo que resulta imprescindible conocer bien su significado si queremos aprovechar las posibilidades del Borrador de fondos:

• **Muestras:** Los tres iconos que encontramos tras la lista Pincel determinan el comportamiento de la herramienta a la hora de elegir el color que se eliminará de la imagen. Si elegimos el primero, la herramienta tomará como muestra distintos colores a media que arrastramos. El segundo, tomará como referencia únicamente el color del primer píxel sobre el que hemos comenzado a usar el borrador. Por último, si elegimos el tercero de los iconos borramos sólo los píxeles cuyo color coincida con el color de fondo seleccionado en el panel Herramientas.

- **Límites:** Dentro de esta lista desplegable encontraremos estas posibilidades: Contiguo, No contiguo y Hallar bordes. La primera borra el color muestreado sin importar el lugar en el que esté dentro de la capa, mientras que la segunda de las opciones sólo elimina áreas contiguas entre sí. Por último, Hallar bordes es la mejor opción para respetar el contorno de los objetos dibujados.
- **Tolerancia:** Los valores más bajos de tolerancia hacen que sólo se borren aquellos píxeles cuyo color sea muy próximo al de la muestra. A medida que aumentamos la tolerancia, también se ve ampliada la escala de tonalidades incluidas en el área de borrado.
- **Proteger color frontal:** Respeta todos los píxeles cuyo color coincida con el color frontal seleccionado en el panel Herramientas.

Nos encontramos sin duda ante una de las herramientas más potentes a la hora de afrontar proyectos de retoque fotográfico, por lo que le recomendamos que tenga presente sus posibilidades.

*Truco: El atajo de teclado para seleccionar rápidamente la herramienta **Borrador** es la tecla **E**.*

5.7.2. Borrador mágico

Con el **Borrador mágico**, convertiremos automáticamente en transparentes todos aquellos píxeles iguales o parecidos (según el valor de tolerancia) al píxel sobre el que hagamos clic con la herramienta. En realidad, se trata de hacer de una sola vez el trabajo de la herramienta **Borrador de fondos**, aunque dependiendo de las características de la imagen será más conveniente utilizar una herramienta u otra.

Con respecto a las opciones, si desactivamos la casilla Contiguo, la herramienta eliminará todos los píxeles que coincidan con la muestra, ya sean adyacentes o no a ésta. Haga la prueba activando y desactivando esta opción para comprender mejor su significado.

*Nota: La herramienta **Borrador mágico** está recomendada sobre todo para aquellas imágenes en las que se encuentren bien delimitados los contornos de los objetos que se desean eliminar o mantener.*

5.8. Pincel de ojos rojos

Para los más curiosos diremos que el problema de los ojos rojos en las fotografías viene provocado por el reflejo de la retina al recibir el destello del flash de nuestra cámara cuando la persona se encuentra en una zona poco iluminada y, por lo tanto, sus pupilas están dilatadas.

La herramienta **Pincel de ojos rojos** comparte posición con otras herramientas de retoque como el **Pincel corrector** o el **Parche**.

La forma de trabajar con esta herramienta es muy sencilla. Veamos los pasos necesarios para corregir una foto con problema de ojos rojos:

1. Para trabajar de forma más cómoda sobre la zona de la imagen que deseamos corregir, usaremos la herramienta **Zoom** para ampliarla hasta que prácticamente ocupe toda el área de visualización como ve en la figura 5.9.

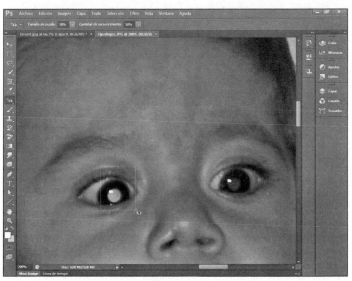

Figura 5.9. Ampliación de la zona a corregir.

2. A continuación, seleccionaremos la herramienta **Pincel de ojos rojos** y observaremos que el cursor se transforma en una pequeña cruz.

3. Entre las opciones de configuración que aparecen en la parte superior del área de trabajo para esta herramienta nos encontramos con **Tamaño de la pupila**, donde podemos elegir un valor mayor o menor según la intensidad del problema. Es decir, si la coloración de la pupila es pequeña elegiremos porcentajes bajos para esta opción y viceversa.
4. **Cantidad de oscurecimiento** actúa sobre el color de relleno, siendo más negro o más gris según el porcentaje establecido en esta opción. Por lo general, un valor medio será la mejor combinación en la mayoría de las situaciones.
5. Una vez establecidos los ajustes adecuados, el último paso es el más sencillo ya que será suficiente con hacer clic sobre la zona de la pupila que tiene el problema para que en un instante quede solucionado.

> **Nota:** *Si el resultado no es del todo satisfactorio, utilice entonces la combinación de teclas* **Control-Z** *para deshacer las modificaciones, varíe los ajustes de las opciones* **Tamaño de la pupila** *y* **Cantidad de oscurecimiento** *e inténtelo de nuevo.*

Otra forma de usar el **Pincel de ojos rojos** es describir el área que engloba la zona que tiene el problema.

Para ello, haga clic y arrastre hasta que el rectángulo punteado que describe la herramienta incluya por completo la zona afectada. Quizás este método sea más rápido en algunas ocasiones, teniendo en cuenta que es la misma herramienta la que se encarga de localizar la zona que tiene la distorsión del color.

> **Truco:** *Seleccione la herramienta* **Zoom**, *haga clic sobre un punto y arrastre para ampliar en un instante la zona definida por el rectángulo que describe el cursor.*

Por último, le recomendamos que si su cámara dispone de un sistema de reducción de ojos rojos lo utilice siempre que sea posible.

Por que si bien es cierto que la herramienta **Pincel de ojos rojos** puede solucionar perfectamente el problema, obtendrá mejores resultados con el sistema de reducción del efecto de la propia cámara.

5.9. Movimiento con detección de contenido

La herramienta **Movimiento con detección de contenido** permite trasladar cualquier objeto o zona de la imagen de una posición a otra de manera que el cambio pase complemente desapercibido. En la figura 5.10 puede comprobar como hemos modificado la posición original de la niña y ahora aparece a la izquierda.

Figura 5.10. Imagen antes y después de utilizar la herramienta Movimiento con detección de contenido.

Observe los pequeños detalles como el agua de la orilla, la arena o las ondulaciones del mar. La herramienta no es perfecta y quedarían algunos detalles por solucionar pero el trabajo realizado por el programa es realmente impresionante.

La forma de utilizar la herramienta es realmente sencilla, basta con rodear el objeto para establecer el área que vamos a mover, hacer clic dentro de la selección y arrastrar hasta su nueva posición. A partir de aquí, Photoshop se pone a trabajar y una barra de progreso nos indica el tiempo restante para terminar.

La herramienta **Movimiento con detección de contenido** es sin lugar a dudas otra gran solución de Adobe para trabajar con nuestras fotografías. Combinado, en un proceso transparente para el usuario, los algoritmos del comando **Relleno** y herramientas como Parche, Pincel corrector o Tampón consiguen unos resultados increíbles.

5.10. Deshacer, rehacer con el panel Historia

Antes de continuar con las herramientas de retoque y corrección queremos que conozca una característica importante de Photoshop, se trata del panel **Historia**.

El panel **Historia** permite mantener un registro de todos los cambios y modificaciones que realicemos de modo que podamos deshacer cualquiera de ellos y recuperar el aspecto original de la imagen. Para entender mejor el funcionamiento del panel **Historia**, pasemos directamente a la acción y comprobemos cómo deshacer una o más operaciones. Recuerde que para mostrar este panel debemos recurrir al comando **Historia** del menú **Ventana**.

1. En el panel **Historia**, sitúe el cursor y haga clic sobre alguna de acciones registradas. Cuando nos situamos en el panel **Historia**, el cursor se transforma en una mano con el dedo índice extendido.

2. Como puede comprobar en la figura 5.11, el nombre del estado seleccionado y todos los anteriores se vuelven de color gris.

3. Para completar la operación, haga clic sobre el icono **Eliminar** o bien pulse con el botón derecho y después seleccione el comando **Eliminar**. Antes de completar la

operación, aparecerá un cuadro de diálogo solicitándonos confirmación. Después, todas las acciones seleccionadas se eliminan del panel y sus efectos desaparecen de la imagen.

Figura 5.11. Estados listos para deshacer.

Advertencia: Por defecto, el panel Historia *está configurado para almacenar las últimas veinte acciones, aunque veremos un poco más adelante cómo podemos modificar este valor.*

Si ha experimentado con lo que acabamos de explicar en el apartado anterior y después se ha fijado en el panel Historia, habrá comprobado que curiosamente esta operación no queda registrada. Entonces, ¿qué ocurre si nos hemos confundido y no queríamos eliminar esos estados del panel Historia? Pues bien, que no cunda el pánico, existe una solución que consiste en pulsar la combinación de teclas **Control-Z**. El único inconveniente es que este método sólo funciona si lo ejecutamos inmediatamente después de eliminar los estados del panel.

5.10.1. Instantáneas

El panel Historia también permite guardar el aspecto de la imagen en un instante determinado, de manera que podamos recuperarlo con un solo clic de ratón.

Para crear una instantánea seleccione en el panel Historia el estado que determinará el aspecto de la instantánea. Si se trata del último estado no es necesario hacer nada porque ya se encuentra seleccionado por defecto. A continuación use el botón **Crear instantánea nueva** del panel Historia, representado por una pequeña cámara fotográfica.

Una vez creada la instantánea, bastará con hacer clic sobre ella para devolver la imagen a la situación en la que se encontraba cuando se creó. Las demás operaciones no desaparecen del panel Historia, por tanto, si lo necesita puede recuperar también alguno de estos estados.

Advertencia: No olvide que Photoshop no mantiene la información sobre las instantáneas al guardar y cerrar una imagen, por lo tanto esta información se perderá.

Para eliminar una instantánea, haga clic sobre ella con el botón derecho y seleccione el comando Eliminar o también puede elegir el comando del mismo nombre en el menú asociado al panel Historia.

*Truco: Si lo prefiere, también puede crear una nueva imagen a partir de un estado determinado del panel Historia. Tan sólo tiene que seleccionar el instante que quiere que sirva como punto de referencia para crear la nueva imagen y, posteriormente, hacer clic sobre el icono **Crear un documento nuevo desde el estado actual** que hemos resaltado en la figura 5.12.*

Figura 5.12. Botón Crear un documento nuevo desde el estado actual.

5.10.2. Configuración del panel Historia

Para acceder a las posibilidades de configuración del panel Historia es necesario seleccionar el comando Opciones de historia del menú asociado al panel. A continuación describimos el significado de las más importantes:

- Crear automáticamente primera instantánea: Se encuentra activada por defecto y tiene como misión crear una instantánea en el momento de abrir la imagen. Conviene no desactivarla para tener siempre la posibilidad de recuperar el estado inicial de la imagen.
- Crear automáticamente nueva instantánea al guardar: Si activa esta casilla, cada vez que utilice el comando Guardar se creará una nueva instantánea basada en el estado actual de la imagen.
- Permitir historia no lineal: Hasta ahora hemos visto que al seleccionar un determinado estado en el panel Historia, todos los que se encontraban debajo de él quedaban automáticamente seleccionados y, al eliminarlo, desaparecían también todos los estados posteriores. Si prefiere tratar cada uno de los estados de forma independiente, active esta casilla.
- Mostrar por defecto el cuadro de diálogo Nueva instantánea: Obliga a Photoshop a pedir un nombre cada vez que se crea una instantánea.
- Hacer permanentes los cambios de visibilidad de capa: El propósito de esta opción es registrar también los cambios de visibilidad de las capas. Por defecto esta opción se encuentra desactivada para evitar que se acumule demasiada información en el panel Historia.

5.10.3. Pincel de historia y Pincel histórico

En la figura 5.13 puede comprobar la situación de estas dos herramientas que complementan las funciones de deshacer y rehacer del panel Historia. La herramienta **Pincel de historia** permite deshacer de forma manual, total o parcialmente, determinadas acciones o estados de la imagen. Su funcionamiento es sencillo: en el panel Historia, haga clic en la casilla situada a la izquierda del estado a partir del cual quiere que tenga efecto el **Pincel de historia**. A partir de aquí, sólo necesita usar la herramienta como si de un elemento de edición se tratara para eliminar aquellas zonas que desee.

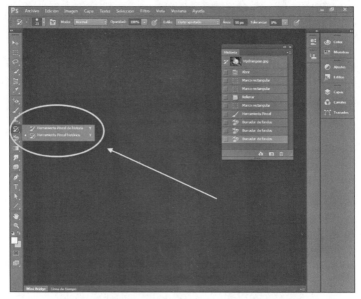

Figura 5.13. Pincel de historia y Pincel histórico.

La principal ventaja que ofrece esta herramienta es la de restablecer parcialmente una imagen desde un determinado estado, dejando intactas aquellas otras zonas que nos interesen.

> **Nota:** *No hay ningún problema en utilizar los diferentes tipos de pinceles disponibles a la hora de trabajar con el* **Pincel de historia.**

Del mismo modo, los resultados logrados con la herramienta **Pincel histórico** son realmente sorprendentes (véase la figura 5.14). Con ella, al mismo tiempo que deshacemos las últimas operaciones realizadas sobre la imagen, tenemos la posibilidad de aplicarle espectaculares efectos de pintura.

> **Truco:** *El método abreviado asociado tanto al* **Pincel de historia** *como al* **Pincel histórico** *es la tecla* **Y.**

Además de las opciones habituales de modo y opacidad, disponemos de las siguientes posibilidades para configurar la herramienta **Pincel histórico**:

112

- **Estilo:** La opción elegida en esta lista determina fundamentalmente la forma del trazo.
- **Área:** Permite establecer el radio de acción de la herramienta en cada momento.
- **Tolerancia:** Ofrece la posibilidad de limitar la zona en la que el uso del pincel surtirá efecto.

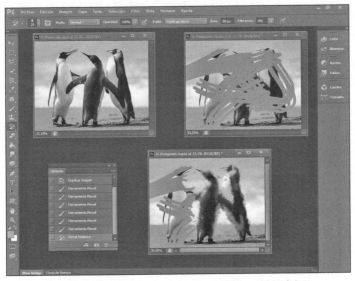

Figura 5.14. Resultado de utilizar el Pincel histórico.

> **Truco:** *Para facilitar la tarea de elegir el pincel adecuado en cada caso, en el margen izquierdo de la barra de opciones correspondiente a las herramientas* **Pincel de historio** *y* **Pincel histórico** *se encuentra un pequeño icono que mostrará la lista de pinceles preestablecidos.*

Quizás con un poco de suerte habremos conseguido nuestro propósito para este capítulo, que no era otro que mostrar la aplicación práctica de algunas de las herramientas más completas de Photoshop relacionadas con el retoque fotográfico.

6

Comandos de corrección

6.1. Introducción

Hemos conocido en el capítulo anterior herramientas que nos permiten hacer cosas increíbles con nuestras fotografías pero esto no es todo. Ahora toca el turno de conocer la forma de corregir aquellos defectos provocados por problemas de enfoque, falta de luz, errores de exposición etcétera.

Para solucionar muchos de estos problemas tenemos un importante aliado en Photoshop, se trata del panel Ajustes. Este elemento agrupa gran parte de los comandos de re corrección que necesitaremos usar con más frecuencia.

6.2. El panel Ajustes, la herramienta definitiva

El panel Ajustes permite modificar el brillo, contraste, color, añadir filtros de color, convertir a blanco negro, etcétera. Todo de forma rápida y sencilla. Hasta aquí podríamos pensar que simplemente se trata de un nuevo elemento con accesos directos a todas las funcionalidades que ya se encuentran recogidas en el menú Imagen>Ajustes pero la realidad es algo más. Sí es cierto que podemos cambiar los aspectos más importantes de la imagen mucho más rápidamente pero existe una diferencia destacable entre el comportamiento del panel Ajustes y los comandos del menú; todos los cambios que se realizan sobre la imagen desde las opciones del panel Ajustes, se llevan cabo de forma no destructiva. Para implementar este comportamiento con éxito utiliza las capas de ajuste. Es decir, la transformación no se lleva a cabo directamente, no corrige ni modifica ningún píxel original, sino que se crea una capa intermedia (de ajuste) para aplicar el efecto.

Las ventajas de este sistema son muchas pero las más importantes podrían ser:

- Resulta mucho más cómoda y rápida la configuración de correcciones.
- La eliminación de cualquier transformación se realiza de forma inmediata.
- Se puede ocultar temporalmente la capa de ajuste y por consecuencia el cambio realizado sobre a imagen.
- Es posible volver a configurar los ajustes tantas veces como sea necesario.
- Podemos comprobar la interacción de varios ajustes sobre una misma imagen.

Para aplicar cualquier corrección desde el panel Ajustes, debe utilizar los iconos que representan las diferentes correcciones disponibles y que hemos resaltado en la figura 6.1. Basta con situar el cursor sobre cualquiera de los iconos para que aparezca en la parte superior el título del comando.

Figura 6.1. Iconos asociados a cada uno de los comandos disponibles desde el panel Ajustes.

Una vez seleccionado el ajuste, aparece el panel Propiedades y muestra los parámetros configurables del comando elegido. Por ejemplo en la figura 6.2 muestra las posibilidades del panel después de hacer clic sobre el icono Curvas.

Además de los controles propios de cada comando, el panel **Propiedades** muestra en su parte inferior una serie de pequeños iconos cuyo significado es el mismo que ya vimos cuando tratamos las capas de ajuste. Sólo haremos hincapié de nuevo sobre el icono situado más a la izquierda, utilícelo para hacer que todas las correcciones sean efectivas únicamente sobre la capa actual, o sobre la capa actual y todas las capas inferiores.

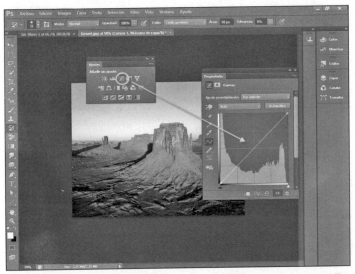

Figura 6.2. Aspecto del panel Propiedades después de hacer clic sobre el icono Curvas en el panel Ajustes.

Antes de continuar, es importante detenerse un instante en el comportamiento del panel **Capas** después de aplicar un ajuste. En la figura 6.3 puede comprobar su aspecto tras seleccionar la opción **Brillo/contraste**, preste atención a los dos elementos que hemos resaltado. Más a la izquierda se encuentra el icono representativo del ajuste aplicado y a la derecha la máscara asociada. Con ella podrá mejorar el ajuste y aplicarlo únicamente sobre zonas concretas de la imagen. Como puede comprobar, de nuevo las máscaras toman protagonismo incluso en tareas de corrección.

Figura 6.3. Aspecto del panel Capas después de aplicar el ajuste Brillo/contraste.

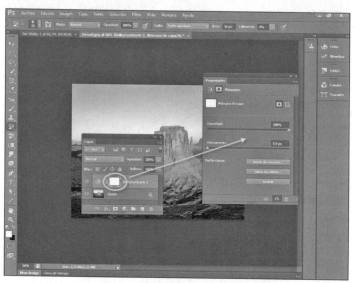

Figura 6.4. Propiedades de máscara.

En resumen, el panel Ajustes puede ayudar mucho en todo lo que trataremos en los siguientes apartados y en el próximo capítulo, siempre, teniendo en cuenta que Photoshop ofrece dos formas de realizar correcciones, de forma definitiva y menos flexible usando los comandos del menú Imagen>Ajustes o de manera no destructiva utilizando el panel Ajustes.

6.3. Comandos de corrección

Existen dos formas de aplicar los comandos corrección que describimos a continuación. Una opciones sería desde el menú Imagen>Ajustes, sin posibilidades "no destructivas", o desde el panel Ajustes con todas las ventajas que hemos descrito en el apartado anterior. Si quiere un consejo, utilice siempre que pueda el panel Ajustes.

6.3.1. Brillo/contraste

Vamos a empezar con el comando Brillo/contraste situado en el menú Imagen>Ajustes y por supuesto en el panel Ajustes. Este será sin duda uno de los comandos que utilizaremos con más frecuencia para mejorar cualquier fotografía.

En la figura 6.5 puede comprobar el aspecto del panel Propiedades después de seleccionar este comando. Utilice los reguladores Brillo y Contraste para modificar la gama de tonos de la imagen, teniendo en cuenta que este comando ajusta al mismo tiempo los valores de luces, sombras y medios tonos.

Figura 6.5. Propiedades de brillo/contraste.

Nota: No olvide mantener activada la casilla de verificación Previsualizar *si usa el comando del menú* Imagen/Ajustes *para comprobar al instante los cambios sobre la imagen.*

6.3.2. Ecualizar

El comando Ecualizar resulta muy útil para aclarar imágenes que hayan quedado oscuras por una mala exposición. Para conseguirlo, Photoshop busca los valores más oscuros y más claros para calcular los valores de brillo intermedio. De este modo, el valor más oscuro representa el negro y el más claro equivale al blanco. Después, aplica estos cálculos sobre el espectro de la imagen.

> **Nota:** *El comando Ecualizar no se encuentra disponible dentro de las posibilidades del panel* **Ajustes**.

Si ejecuta este comando sin más, los cambios y cálculos se hacen teniendo en cuenta la imagen completa. Pero si selecciona un área de la imagen, todos los ajustes se harán tendiendo en cuenta los píxeles de la zona elegida. En este último caso, aparece el cuadro de diálogo que muestra la figura 6.6, donde el significado de sus opciones sería el siguiente:

- **Ecualizar sólo el área seleccionada:** El efecto del comando **Ecualizar** tendrá repercusión sólo sobre la zona seleccionada.
- **Ecualizar toda la imagen a partir del área seleccionada:** Esta segunda opción es la verdaderamente interesante, ya que utiliza los píxeles de la zona seleccionada para calcular el promedio de valores que aplicará al resto de la imagen.

En la figura 6.7 puede ver los distintos resultados que puede generar este comando en función del área seleccionada.

Alejándonos de conceptos técnicos, podríamos decir que el comando **Ecualizar** permite arreglar fotografías con problemas de luz. Siendo especialmente interesante, si lo utilizamos seleccionando un área concreta de la imagen para tomarla como referencia para el resto.

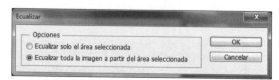

Figura 6.6. Cuadro de diálogo Ecualizar.

6.3.3. Niveles

El comando **Niveles** muestra espectacular histograma donde podemos delimitar el grado de luces y sombras de nuestra imagen. Los extremos de la gráfica representan los píxeles más oscuros (izquierdo) y más claros (derecho).

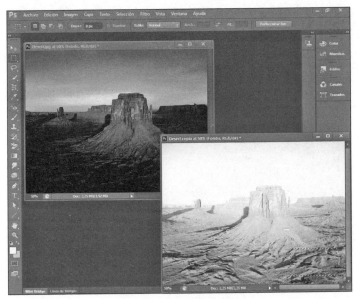

Figura 6.7. Ejemplos de imagen ecualizada tomando como referencia dos zonas diferentes de la misma.

Desplazando cada uno de los manejadores hacia la zona central del histograma conseguiremos transformar los colores más oscuros en negro y los más claros en blanco. Con estos ajustes ampliaremos o reduciremos el espectro tonal de la imagen mejorando la nitidez de la misma en la mayoría de los casos.

En la figura 6.8 puede ver un ejemplo; observe también el aspecto del panel.

El comando Niveles permite modificar los niveles de cada uno de los canales de forma independiente. Tan sólo es necesario elegir el canal que desee en la lista desplegable Canal. Así mismo, si utilizamos el menú, en lugar del panel dispondremos de las opciones **Guardar valor** y **Cargar valor** en el botón situado a la derecha de la lista Ajuste preestablecido para almacenar los ajustes realizados.

> **Nota:** *Recuerde que cualquier ajuste, corrección o transformación descrita en este capítulo se puede aplicar localmente sobre cualquier parte de la imagen con tan sólo describir previamente el área de selección sobre la que desee trabajar.*

Figura 6.8. Panel Propiedades después de seleccionar
la opción Niveles en Ajustes.

El botón **Automático** situado tanto en el panel como en el cuadro de diálogo asociado al comando, mejora en gran medida la nitidez y tonalidad de la imagen de forma totalmente automática. Para lograrlo, Photoshop localiza los píxeles más claros y los vuelve blancos. Del mismo modo, busca los más oscuros y los vuelve negros. En el caso de los valores intermedios, utiliza las tonalidades más próximas.

6.3.4. Igualar color

Quién no se ha encontrado con dos imágenes tomadas en características similares de luz pero cuyo aspecto es completamente distinto. Con el comando **Igualar color**, podemos tomar como referencia los tonos de una imagen y aplicarlos sobre cualquier otra. Del mismo modo, es posible trabajar los valores de brillo, saturación y equilibrio de color sobre la misma imagen.

Advertencia: Las características del comando **Igualar color** *sólo están disponibles si el modo de la imagen se encuentra en RGB.*

En primer lugar veamos cómo solucionar un exceso de tonalidad sobre una imagen sin utilizar ningún otro archivo como referencia:

1. Seleccione el comando Imagen>Ajustes>Igualar color para mostrar el cuadro de diálogo del mismo nombre y que puede ver en la figura 6.9.

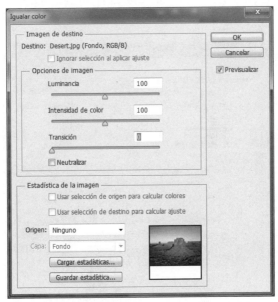

Figura 6.9. Cuadro de diálogo Igualar color.

2. En la sección Opciones de imagen encontramos varias posibilidades. Por ejemplo, utilice el regulador Luminancia para modificar el brillo de la imagen, o cambie los valores de Intensidad de color para aumentar o bien disminuir el espectro cromático de la imagen, mientras más a la izquierda más se aproximará la imagen al modo escala de grises. También podrá trabajar sobre Transición para determinar el porcentaje de ajuste que quiere aplicar sobre la imagen.

Hasta aquí, sólo hemos modificado los valores indicados sobre la imagen actual, tarea que puede ayudar a mejorar el aspecto de muchas fotografías. Pero como hemos comentado, el comando Igualar color permite ir un poco más lejos:

1. Fijémonos ahora en la sección **Estadísticas de la imagen** y más concretamente en la lista **Origen**. Si la desplegamos, aparecerán todas las imágenes que tengamos abiertas en ese momento como muestra la figura 6.10, incluso la imagen actual. A partir de aquí podemos elegir cualquiera de ellas para que el comando **Igualar color** tome como referencia los valores de la imagen seleccionada, cuya vista previa aparecerá representada a la derecha.

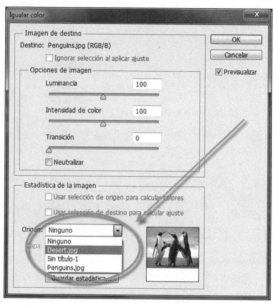

Figura 6.10. Lista Origen dentro del cuadro de diálogo Igualar color.

2. Aún hay más, bajo la lista **Origen** se encuentra otra denominada **Capa** en donde aparecerán todas las capas de la imagen seleccionada como origen.
   En este caso podemos:
   - Elegir cualquier capa de alguna de las imágenes que están abiertas en ese momento.
   - Utilizar alguna de las capas de la imagen actual.
   - Combinar ciertas capas y utilizar esta combinación como referencia para aplicar los mismos ajustes sobre la imagen actual.

Después de todo lo contado hasta ahora sobre el comando Igualar color, todavía queda un aspecto que debemos comentar. Sabemos que para tomar los ajustes de referencia podemos elegir otras imágenes, capas, combinaciones de capas pero también es posible seleccionar una parte de la imagen actual o de otra distinta y utilizar sólo dicha parte como muestra. En este caso, active o desactive las dos casillas de verificación que para este propósito se incluyen en la sección Estadística de la imagen.

> **Nota:** Los botones **Guardar estadística** y **Cargar estadística** permiten almacenar y recuperar los ajustes establecidos en el cuadro de diálogo Igualar color.

6.3.5. Filtro de fotografía

Muchos aficionados a la fotografía tradicional conocen la existencia de los filtros de color y algunos habrán comprobado sus resultados.

Si no es su caso, le diremos que la idea de usar filtros no es otra que aplicar una lente con una determinada tonalidad para generar distintos efectos sobre la fotografía o corregir determinadas situaciones.

El propósito del comando Filtro de fotografía o su equivalente en el panel Ajustes, es el mismo que acabamos de describir para los filtros tradicionales, es decir, modificar el aspecto de la imagen o corregirla aplicando ciertos efectos de color sobre la misma.

Es común utilizar esta característica para solucionar problemas derivados de un mal ajuste del balance de blancos o desajustes en la iluminación.

Por ejemplo, si nuestra imagen ha quedado algo amarillenta podemos utilizar la opción Filtro frío (80) del cuadro de lista Filtro como muestra la figura 6.11. Al contrario, si la imagen tiene un exceso de luz, puede aplicar Filtro cálido (81) para corregir este problema.

Una vez realizado, es posible ajustar el porcentaje de opacidad del ajuste mediante la opción Densidad hasta encontrar el equilibrio óptimo en cada caso.

La lista Filtro también contiene colores específicos para corregir excesos de tonalidades concretas sobre la imagen o simplemente para dar rienda suelta a nuestra imaginación y crear espectaculares diseños.

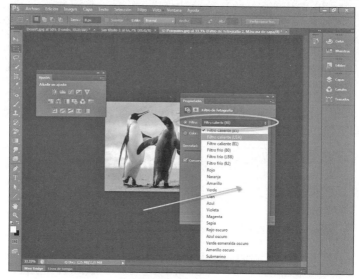

Figura 6.11. Lista Filtro.

> *Nota: Active la casilla de verificación* **Conservar lumino-sidad** *si desea preservar este valor cuando aplique un filtro sobre la imagen.*

Si en lugar de utilizar alguna de las propuestas disponibles en la lista **Filtro** desea aplicar una tonalidad concreta, seleccione la opción **Color**. Después, haga clic sobre el cuadro de color para mostrar el tono seleccionado y elegir otro nuevo.

6.3.6. Sombra/iluminaciones

Observe la figura 6.12. En un primer momento, el aspecto del cuadro de diálogo **Sombra/iluminaciones** puede parecer sencillo pero comprobaremos que esconde alguna que otra sorpresa. Además, estamos seguros de que esta herramienta dará más de una alegría a todos los que usamos cámaras digitales. Por cierto, este ajuste no lo encontrará en el panel.

Los dos reguladores que podemos ver **Sombras** e **Ilumina-ciones** permiten solucionar un problema muy común cuando tomamos instantáneas con una cámara digital y no utilizamos los valores correctos de exposición. Concretamente, se trata del oscurecimiento de objetos que aparecen en primer plano cuando existe un fondo demasiado iluminado. Pero mejor, observe la figura 6.13 antes y después de aplicar las posibilidades del comando **Sombra/iluminaciones**. Seguro que se le ha venido a la memoria más de una fotografía que podría arreglar con esta herramienta.

Figura 6.12. Cuadro de diálogo Sombra/iluminaciones.

Figura 6.13. Resultado antes y después de utilizar
el comando Sombra/iluminaciones.

Si con los dos primeros controles (**Sombras** e **Iluminaciones**) no obtiene los resultados deseados, active la casilla de verificación **Mostrar más opciones** para que el cuadro de diálogo **Sombras/iluminaciones** tome el aspecto que puede ver en la figura 6.14. Utilice el resto de posibilidades y modifique la configuración de los diferentes reguladores para conseguir el aspecto adecuado para la imagen.

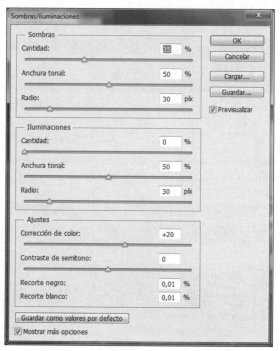

Figura 6.14. Opciones ampliadas del cuadro de diálogo Sombras/iluminaciones.

Advertencia: Existen algunos casos en los que la falta de luz es tan pronunciada que sólo podremos mejorar un poco el problema, pero no solucionarlo completamente. Y es que esta herramienta verdaderamente hace milagros aunque existen ocasiones en las que no es posible.

6.3.7. Exposición

Como ya comentamos en los primeros capítulos, el término exposición en fotografía hace referencia al tiempo que permanece abierto el obturador de la cámara y deja entrar la luz hasta el sensor.

Esta sería simplificando mucho la definición de este concepto fotográfico ya que existen otros factores que influyen en su configuración.

El comando **Exposición** permite realizar correcciones de este valor sobre la imagen. Si hacemos clic sobre el icono que representa este comando en panel **Ajustes** se abrirá el panel Propiedades en donde encontraremos tres reguladores como muestra la figura 6.15.

- **Exposición**: Este primer control determina la cantidad de luz que deseamos aplicar sobre la imagen.
- **Desplazamiento**: En este caso, trabajaremos con las sombras y medios tonos generando finalmente una variación sobre el contraste de la imagen.
- **Corrección de gamma**: El valor de gamma determina la claridad u oscuridad con la que vemos una imagen. Por ejemplo, los sistemas Windows utilizan un valor de 2,2 mientras que los equipos con Mac OS utilizan valores cercanos al 1,8. La consecuencia es que una misma imagen se aprecia más oscura en Windows que en un sistema Mac OS. Este regulador permite modificar la luminosidad de la imagen a través de la variación de su valor gamma.

Figura 6.15. Opciones del comando.

Además de los tres reguladores que acabamos de describir, podemos ver tres pequeños iconos. El primero de ellos tomará el píxel sobre el que hagamos clic y todos los que tengan el mismo color y les aplicará un desplazamiento cercano a cero. El resultado será una transformación a negro de todos los píxeles seleccionados. El segundo, Cuentagotas, y el tercero, establecen el valor de exposición según el valor del píxel seleccionado, cambiando a gris y blanco respectivamente.

6.4. Corregir la distorsión de lente

Photoshop incluye el comando denominado Corrección de la lente dentro de las posibilidades del menú Filtro. Después de ejecutarlo nos encontraremos con el impresionante cuadro de diálogo como el que muestra la figura 6.16. El propósito de este filtro es corregir los defectos derivados por la geometría de la lente de la cámara y que distorsionan la perspectiva de la imagen. El proceso de fabricación de una lente fotográfica es tremendamente complejo. Por este motivo, son admitidos y conocidos los valores de distorsión de los diferentes fabricantes y modelos.

Figura 6.16. Cuadro de diálogo Corrección de lente.

Si quiere llevar a cabo la corrección de manera artesanal, debe seleccionar la ficha **A medida**. Una vez abierta, son principalmente tres los valores que podemos modificar:

- El regulador **Eliminar distorsión** permite corregir el efecto de abombamiento o hundimiento generado por algunas lentes.

- La aberración cromática hace referencia a una serie de píxeles brillantes que aparecen en los bordes de algunos objetos de la imagen. Para corregir este problema podemos usar los dos reguladores de la sección **Aberración cromática**.

- En algunos casos encontraremos cierto oscurecimiento en las esquinas de una imagen con respecto al centro de la misma. También podemos corregir este problema con las opciones de la sección **Viñeta**.

- La deformación vertical también puede ser un problema que necesitemos corregir en algunas fotografías. Con las opciones de la sección **Transformar** podemos solucionar este defecto.

> **Nota:** *Son evidentes las posibilidades del filtro* **Corrección de lente** *a la hora de solucionar ciertos problemas fotográficos, pero quizás no sería mala idea aprovechar sus propiedades con fines creativos para deformar o distorsionar imágenes.*

6.4.1. Corrección automática

Aunque muchos la persigan, la perfección en la fotografía no existe.

Como hemos comentado, la mayoría de los modelos de cámaras digitales tienen pequeños defectos es su fabricación o en el diseño de sus lentes que repercuten directamente sobre las instantáneas tomadas con ellas. Son problemas habitualmente imperceptibles para cualquiera de los mortales pero que poco a poco iremos detectando a medida que nuestros conocimientos de fotografía aumenten.

Estos problemas se pueden corregir manualmente, como hemos comentado en el apartado anterior, desde las opciones de la ficha **A medida** del cuadro de diálogo **Corrección de lente**. Pero también de manera automática desde la ficha **Corrección automática**. En este caso deberá seleccionar en la sección **Criterios de búsqueda** la marca, modelo y tipo de lente de su cámara como puede ver en la figura 6.17. A continuación marque las casillas de verificación **Distorsión geométrica**, **Aberración cromática** o **Viñeta** según el tipo de corrección que desee aplicar.

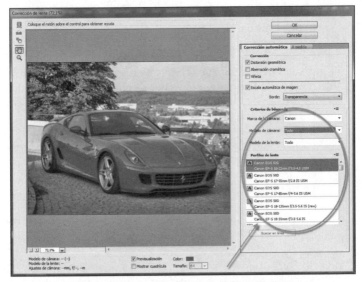

Figura 6.17. Corrección automática de lente
según modelo de dispositivo.

Truco: El comando **Corrección de lente** *también incluye el iPhone entre la lista de dispositivos disponibles.*

6.5. Herramientas corrección local

Si el problema afecta a toda la imagen lo recomendables es recurrir a los comandos descritos en los capítulos anteriores. Las herramientas que describimos a continuación están bien para correcciones sencillas o retoques a pequeña escala.

6.5.1. Herramienta Desenfocar

Seguro que por su nombre, **Desenfocar**, ya habrá adivinado su función. Al aplicarla sobre alguna zona de la imagen, se consigue un efecto de suavizado a costa de una pérdida de nitidez. Técnicamente, genera una reducción del nivel de contraste entre los colores de píxeles cercanos, creando el efecto de desenfoque. En la figura 6.18 puede ver la situación de las herramientas **Desenfocar**, **Enfocar** y **Dedo**.

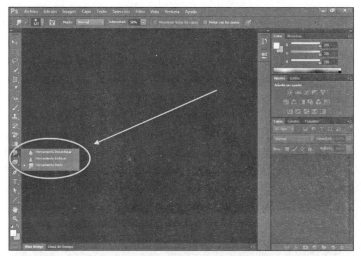

Figura 6.18. Herramientas Desenfocar, Enfocar y Dedo.

Actívela y el cursor se transformará en una pequeña gota de color blanco. Después, arrastre esta gota por la zona de la imagen que quiera desenfocar.

6.5.2. Herramienta Enfocar

El efecto de esta herramienta es justo el contrario del que acabamos de explicar en el apartado anterior para **Desenfocar**. En este caso, se produce un aumento del contraste en el color de los píxeles, pero a efectos visuales apreciaremos un aumento de la nitidez. Debe tener cuidado ya que, si se excede en la aplicación de este efecto, conseguirá sobresaturar la imagen y perderá toda la referencia de los colores originales.

> **Nota:** *Para cualquiera de las herramientas anteriores, disponemos de toda la gama de pinceles que aparecen por defecto en la opción* **Pincel** *de la barra de opciones y, por supuesto, en el panel* Pinceles preestablecidos.

6.5.3. Sobreexponer

La herramienta **Sobreexponer** está representada por un pequeño alfiler de cabeza negra y, como su propio nombre indica, está pensada para aplicar una sobreexposición de luz sobre un área determinada de la imagen. Para que nos entendamos, consigue aclarar manualmente pequeñas zonas. La forma de usarla es sencilla: basta con seleccionarla y arrastrar el cursor sobre el área que deseemos aclarar.

En la figura 6.19 puede comprobar la situación y el aspecto de los iconos asociados a las herramientas **Sobreexponer**, **Subexponer** y **Esponja**.

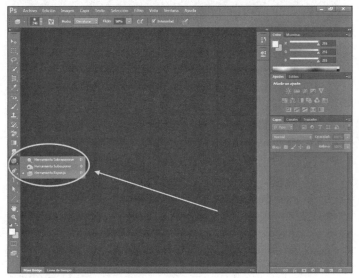

Figura 6.19. Herramientas Sobreexponer, Subexponer y Esponja.

6.5.4. Subexponer

Prácticamente todos los conceptos que hemos explicado para la herramienta anterior son extrapolables a la herramienta **Subexponer**, excepto que, en esta ocasión, el resultado que conseguimos es de oscurecimiento del área sobre la que apliquemos el efecto.

> **Nota:** El principio de las herramientas **Sobreexponer** y **Subexponer** está basado en la fotografía tradicional, donde a la hora del ampliado podemos tapar algunas zonas de la imagen (subexponer) o aumentar el tiempo de exposición a la luz de la ampliadora (sobreexponer). Si es aficionado a la fotografía, seguro que conoce bien estos términos.

6.5.5. Esponja

Con esta herramienta, podrá modificar el nivel de saturación que hay dentro de un área concreta de la imagen. Aunque Photoshop posee algunos comandos más potentes para realizar esta operación dentro de la opción **Ajustes** del menú **Imagen**, la **Esponja** sirve para realizar pequeñas correcciones o incluso, si nuestra creatividad lo permite, componer vistosos efectos.

> *Nota: Para las imágenes en modo Escala de grises, la herramienta Esponja disminuye o aumenta el contraste de una zona determinada, desplazando los niveles de grises hasta un punto más intermedio.*

Quizás se esté preguntando por qué esta herramienta se llama **Esponja**. Pues bien, para saciar su curiosidad le diremos que en la fotografía tradicional, para saturar una imagen en su totalidad, se añade más cantidad de líquido revelador, pero si queremos aplicar este efecto sólo a una parte de la imagen se utiliza una esponja para empapar con líquido revelador esa zona concreta.

En la figura 6.20 puede ver una imagen en la que hemos aplicado de forma deliberadamente exagerada las herramientas **Subexponer**, **Sobreexponer** y **Esponja**.

6.6. Histograma

El histograma de una imagen representa la distribución de los píxeles iluminados, las sombras y los medios tonos. Con algo de experiencia, este esquema puede ayudar a conocer si una imagen está demasiado iluminada, muy oscura o con pocos matices. Aún mejor, podríamos mejorar su aspecto modificando su histograma. Desde el punto de vista del retoque y la corrección fotográfica, el histograma es una magnifica herramienta para conocer todos los detalles sobre una imagen.

El comando **Curvas** muestra de fondo el histograma de la imagen y nos servía como referencia para trabajar con sus posibilidades. Para entender mejor la relación entre el histograma y el aspecto de una imagen, observe en la figura 6.21 el histograma de una misma imagen subexpuesta, sobreexpuesta y correctamente ajustada.

Figura 6.20. Efecto de las herramientas Sobreexponer, Subexponer y Esponja.

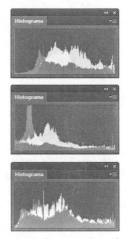

Figura 6.21. Histograma de una misma imagen en situación de subexposición, sobreexposición y normal.

Photoshop incluye el panel **Histograma**. Este panel no tiene capacidades de edición y sólo proporciona información actualizada sobre el histograma de la imagen seleccionada. Esto no la hace menos interesante y para comprobarlo despliegue el menú asociado al panel y seleccione el comando **Vista expandida**. Ahora no sólo podemos ver el histograma de la imagen sino que también es posible conocer los valores de cada punto del gráfico con tan sólo situar el cursor sobre él y observar la información que muestra debajo (véase la figura 6.22).

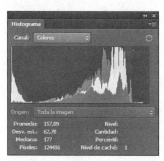

Figura 6.22. Panel Histograma en modo vista extendida.

Nota: Si no aparece información bajo el gráfico del panel **Histograma** *compruebe en el menú asociado que se encuentra activa la opción* **Mostrar estadística**.

Si quiere trabajar directamente sobre el histograma de una imagen deberá recurrir al comando **Niveles**. En el cuadro de diálogo asociado a este comando podrá usar los reguladores situados bajo el gráfico para modificar el rango y la distribución de sombras, iluminaciones y medios tonos de la imagen.

Tratamiento del color

7.1. Introducción

El color es un tema realmente importante si quiere convertirse en un usuario avanzado de Photoshop y aprovechar todas las posibilidades de esta herramienta para mejorar sus fotografías.

Su tratamiento dentro del programa está planteado para dar salida a dos necesidades diferentes: una está enfocada a la mejora y tratamiento de imágenes que tienen alguna carencia o defecto y que, por lo tanto, necesitan una determinada corrección o ajuste de color. La segunda está pensada para mejorar el proceso creativo, ofreciendo innumerables comandos y opciones para realizar transformaciones sobre los colores originales de la imagen. A partir de estos cambios, se podrán obtener sorprendentes resultados que harán temblar la retina de muchos.

> **Nota:** *La mayoría de los comandos de Photoshop relacionados con transformaciones y con correcciones de color están recogidos en el comando* Ajustes *del menú* Imagen *y, por supuesto, en el panel* Ajustes. *Aun a riesgo de ser pesados, insistimos en usar el panel siempre que sea posible por sus característica "no destructiva" que comentamos en los primeros capítulos.*

Este capítulo es la continuación natural de los dos temas anteriores dedicados a la corrección de problemas fotográficos. Muchos de los conceptos que tratamos a continuación serán de gran utilidad para mejorar nuestras fotografías.

7.2. Equilibrio de color

El comando Imagen>Ajustes>Equilibrio de color o el icono del mismo nombre situado en el panel Ajustes permite realizar correcciones de color de forma generalizada, a diferencia de los comandos Curvas y Niveles que permiten acceder a métodos de corrección más específicos.

Entre las opciones que aparecen en la figura 7.1, lo primero que llama la atención son los tres reguladores situados en la parte central. Si los desplazamos hacia la derecha, estaremos aumentando la proporción de cada color sobre la imagen; y mientras más a la izquierda estén, menor será la presencia de dicho color.

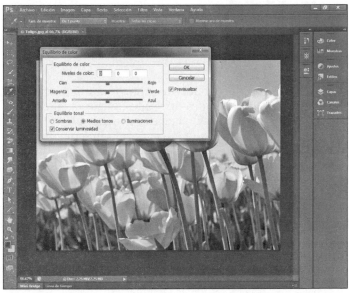

Figura 7.1. Opciones del comando Equilibrio de color.

Use las opciones Sombras, Medios tonos e Iluminaciones para elegir sobre qué gama de tonos desea hacer efectivos los cambios.

Por otra parte, en imágenes RGB es conveniente mantener activada la casilla Conservar luminosidad con el objeto de salvaguardar la relación de igualdad entre los tonos de la imagen original.

7.3. Tono/saturación

Después de seleccionar este comando tendremos acceso a las opciones que nos muestra la figura 7.2. A primera vista podría parecer otro cuadro de diálogo más pero, no es así.

El comando Tono/saturación permite determinar el tono, la saturación y la luminosidad de cada uno de los componentes de color de una imagen de forma totalmente independiente. El primer elemento que encontramos en el cuadro de diálogo Tono/saturación es la lista de tonos. En ella podemos elegir entre aplicar los cambios sobre todos los colores de la imagen, o hacerlo de forma independiente para cada color.

Una vez seleccionado el color o colores que vamos a utilizar, emplearemos los reguladores Tono, Saturación y Luminosidad para ajustar el aspecto de la imagen. Si lo prefiere, puede introducir el valor exacto junto a la casilla de texto que se encuentra a la derecha de cada regulador.

Además de estos reguladores, en la parte inferior aparecen dos barras de colores, la superior representa los colores de la imagen antes de realizar cualquier ajuste, y la barra inferior muestra cómo queda el espectro de colores después de aplicar alguna corrección.

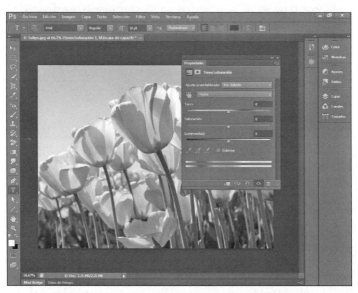

Figura 7.2. Opciones del comando Tono/saturación.

*Truco: Si lo desea, puede guardar los ajustes realizados sobre una imagen para usarlos posteriormente. Seleccione el botón **Guardar** del cuadro de diálogo* Tono/saturación *para almacenar los cambios en un archivo de ajuste con extensión .AHU. Del mismo modo, puede recuperar uno de estos archivos para aplicar de nuevo los mismos cambios, seleccionando el botón **Cargar**. Esta opción también está disponible desde el panel* Ajustes *desplegando el menú asociado situado en la esquina superior derecha.*

7.3.1. Colorear con el comando Tono/saturación

Otra de las posibilidades del comando Tono/saturación es la opción de colorear una imagen que se encuentre en modo escala de grises o blanco y negro, o incluso en color.

Para hacerlo, en primer lugar transformaremos la imagen a modo RVA (RGB) y después seleccionaremos Tono/saturación, y a partir de aquí, activaremos la casilla de verificación Colorear y utilizaremos los reguladores hasta conseguir la tonalidad deseada.

Si bien es cierto que es en imágenes en escala de grises donde se consiguen los resultados más espectaculares de la opción Colorear, también podemos usarlo con imágenes en color para modificar su tonalidad consiguiendo también transformaciones muy vistosas.

7.4. Curvas

Nos encontramos ante otro comando que permite llevar a cabo ajustes sobre el color de nuestra imagen, pero esta vez, con la ventaja de poder tratar de forma independiente cada uno de los canales. Su objetivo principal se centra en posibilitar cambios sobre la tonalidad de la imagen, aunque sus aptitudes son más amplias que las vistas para el comando Tono/saturación, al tomar como referencia muchos más parámetros.

Tras seleccionar el comando Curvas en el menú Imagen> Ajustes o en el panel Ajustes tendremos acceso a las opciones que muestra la figura 7.3. Como puede comprobar no se parece a nada de lo que hemos visto hasta ahora. En la lista desplegable Canal, elija entre aplicar los cambios a todos los canales de la imagen o a alguno en concreto. Por lo general, la opción **Completa** será la más conveniente. Después de elegir el ámbito de acción del ajuste, nos encontramos ante una extraña cuadrícula y una línea que la atraviesa diagonalmente. Haga clic sobre esta línea y arrástrela para modificar el tono de la imagen. Para definir un nuevo punto de ajuste, haga clic sobre la línea para crearlo y arrástrelo hacia la dirección que desee.

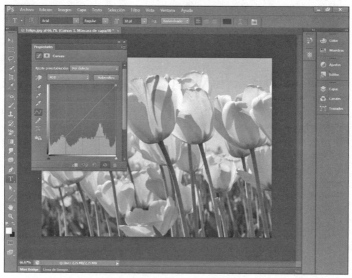

Figura 7.3. Comando Curvas.

> **Nota:** *Del mismo modo que ocurría con el comando* Tono/ saturación, *aquí también podemos almacenar y recuperar ajustes.*

Photoshop visualiza el histograma de la imagen sobre la cuadrícula. Como sabe, el histograma proporciona información sobre la distribución de las sombras, medios tonos e iluminaciones de la imagen.

> **Truco:** *Si desea obtener resultados sorprendentes sobre sus imágenes jugando con las posibilidades del cuadro de diálogo* Curvas, *haga clic sobre el botón representado por un pequeño lápiz, y trace líneas aleatorias sobre la cuadrícula de ajuste.*

Antes de terminar con el comando **Curvas,** no podemos olvidarnos de la lista desplegable **Ajuste preestablecido.** Una vez desplegada su contenido es el que muestra la figura 7.4. Cada una de las entradas corresponde con diferentes modelos de curvas típicos que van a permitir mejorar los aspectos más comunes de la imagen.

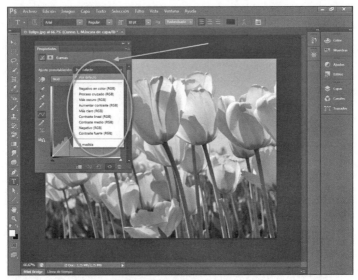

Figura 7.4. Ajustes preestablecidos del comando Curvas.

7.5. Reemplazar color

El comando **Reemplazar color** del menú **Ajustes** da acceso a otra potente herramienta. Al seleccionarlo, tendremos acceso al cuadro de diálogo **Reemplazar color** que puede ver en la figura 7.5.

¿Y para qué sirve? Pues bien, el comando **Reemplazar color** nos permite seleccionar uno o varios tonos de la imagen y modificarlos utilizando los reguladores **Tono, Saturación** y **Luminosidad.**

Imagine que quiere cambiar un maravilloso cielo azul por un atardecer rojizo. Pues bien este tipo de correcciones las puede llevar a cabo desde las posibilidades que ofrece el comando **Reemplazar color.**

Figura 7.5. Cuadro de diálogo Reemplazar color.

Para seleccionar un color, utilizaremos el cuentagotas y luego haremos clic en la imagen sobre el color que deseemos modificar.

Si activamos el botón de opción Selección del cuadro de diálogo Reemplazar color aparecerá entonces una vista preliminar de la imagen en la que las zonas más claras representan los píxeles seleccionados. A continuación utilizaremos los reguladores de la sección Sustitución para modificar el tono de los píxeles seleccionados.

El cuentagotas con el signo más permite añadir nuevos colores a la selección; del mismo modo, el cuentagotas con el signo menos elimina píxeles de la selección, restableciendo su aspecto original.

> **Truco:** *No olvide que la mayoría de los cuadros de diálogo disponibles en Photoshop recuperan los valores originales si mantiene pulsada la tecla **Alt** y después hace clic en el botón **Restaurar**.*

7.6. Blanco y negro

Para muchos de nosotros la fotografía en blanco y negro tiene un encanto especial, esas sombras, medios tonos y la complejidad que implica conseguir una buena instantánea de estas características.

Con las antiguas cámaras analógicas era necesario utilizar películas específicas y una buena dosis de paciencia hasta conseguir la toma perfecta. En la actualidad, la mayoría de las cámaras digitales incluyen entre sus efectos la posibilidad de capturar imágenes en blanco y negro pero como dice la canción "no es lo mismo". Aunque hasta ahora Photoshop no incluía entre sus herramientas ninguna específica para obtener este tipo de efecto, sí existía la posibilidad de transformar cualquier imagen en escala de grises o jugar con alguno de los comandos vistos hasta ahora para conseguir resultados más o menos aceptables.

En Photoshop, elija el nuevo comando Imagen>Ajustes> Blanco y negro o bien utilice el icono correspondiente en el panel Ajustes para mostrar las opciones que aparecen en la figura 7.6.

Figura 7.6. Posibilidades de configuración del comando Blanco y negro.

Las opciones del comando **Blanco y negro** permiten transformar cualquier imagen en color a blanco y negro pero con la posibilidad de manejar individualmente el porcentaje de cada tono.

Los resultados conseguidos con este método son realmente increíbles. Pruebe con alguna imagen y varíe la proporción de cada color para comprobar el resultado que provoca en la imagen.

> *Truco: El botón **Automático** realiza un estudio sobre las características de la imagen y propone la mejor distribución de colores para conseguir una transformación óptima en blanco y negro. Haga clic en este botón para comprobar la propuesta del programa y después ajuste el resultado con los reguladores de color.*

Entre los ajustes preestablecidos asociados al comando **Blanco y negro**, y que puede ver en la figura 7.7, se incluyen diferentes modelos de conversión adaptados a las tareas más habituales o al uso de determinados filtros de color muy conocidos en el mundo de la fotografía.

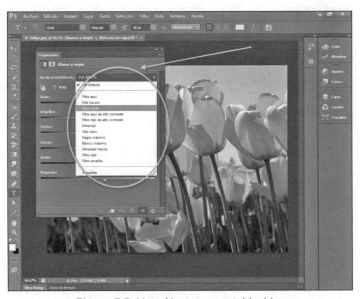

Figura 7.7. Lista Ajustes preestablecidos
para el comando Blanco y negro.

Aunque parezca mentira, el comando **Blanco y negro** aún guarda algunas sorpresas. Concretamente, active la casilla de verificación **Matiz** para activar los controles de esta sección. Con ellos será sencillo colorear uniformemente cualquier imagen a partir de la transformación en blanco y negro.

7.7. Variaciones

Desde nuestro punto de vista, ésta es una de las opciones más útiles a la hora de modificar el color de una imagen sin complicarnos demasiado la vida, sobre todo si tenemos en cuenta que el comando **Variaciones** resulta bastante sencillo de utilizar.

A primera vista, sorprende el gran número de miniaturas de la imagen original que aparecen en el cuadro de diálogo **Variaciones** mostrado en la figura 7.8. Pero esto no es todo, ya que si sólo queremos aplicar los cambios sobre una zona determinada, las miniaturas representarán únicamente el área seleccionada.

Figura 7.8. Cuadro de diálogo Variaciones.

El trabajo que realiza el comando Variaciones está basado en la utilización de los valores de brillo de la propia imagen, y a partir de éstos ajusta la tonalidad y la saturación de cada variación.

Como referencia tenemos las tres posibilidades (Más claro, Selección actual y Más oscuro) que aparecen en la parte derecha del cuadro de diálogo.

En la parte central aparece una miniatura denominada Selección actual, rodeada por otras seis. Cada una de ellas representa a un color básico y basta con hacer clic sobre cualquiera para aplicar más cantidad de ese color sobre la imagen. Después, compruebe que el resto de miniaturas cambia su aspecto para adaptarse al nuevo ajuste. Repita esta operación hasta que consiga el efecto deseado sobre la imagen. En la parte superior derecha del cuadro de diálogo, tenemos cuatro botones de opción:

- Sombras: Los efectos se aplican principalmente sobre los píxeles más oscuros, modificando su intensidad.
- Medios tonos: Opción salomónica, ni los píxeles más claros ni los más oscuros, sino todo lo contrario, es decir afecta a los píxeles intermedios.
- Iluminaciones: Igual que la opción Sombras, pero en esta ocasión se tienen en cuenta los píxeles más claros.
- Saturación: Concentra la transformación sobre los valores de saturación de los píxeles de la imagen.

El regulador que se encuentra justo debajo de estos cuatro botones de opción determina la intensidad del efecto. Y al igual que ocurría en los cuadros de diálogo anteriores, dispone de los botones **Guardar** y **Cargar** para almacenar los ajustes en un archivo y recuperarlos cuando lo desee.

7.8. Herramienta Sustitución de color

La herramienta **Sustitución de color** permite solucionar problemas que tengan como origen un cambio de color localizado dentro de la imagen.

El funcionamiento de la herramienta sería el que se muestra a continuación:

1. Abra la imagen que desea corregir y seleccione la herramienta **Sustitución de color**. Utilice la combinación de teclas **Control**-+ (signo más) para ampliar la imagen y trabajar más cómodamente con la zona que necesita corregir.

2. La herramienta **Sustitución de color** cambiará el tono de los píxeles sobre los que haga clic por el color de primer plano seleccionado en el panel Herramientas.

3. Elija un tamaño de pincel adecuado según las dimensiones de la imagen, pero evite que sea mayor que la zona a tratar. En la lista Modo seleccione Color.

4. Observe en la figura 7.9 como a la derecha de la opción anterior encontrará tres pequeños botones que permiten elegir los colores de la muestra que sustituirá la herramienta:

   • Continuo: En este caso el color que sustituiremos (la muestra) cambia a medida que arrastramos el pincel.

   • Una vez: Toma como referencia el primer color en el que hagamos clic y sustituirá todos aquellos que coincidan con él. Este valor no es exacto y depende de los valores de tolerancia indicados. Para nuestro ejemplo, podemos hacer clic sobre el rojo del interior de los ojos, con un porcentaje de tolerancia de 40.

   • Muestra de fondos: Sustituirá todos los píxeles cuyo color coincida con el tono seleccionado como color de fondo en el selector del panel Herramientas.

5. A continuación en la lista Límites tendremos que determinar el comportamiento de la herramienta con respecto a los píxeles adyacentes:

   • No contiguo: Cambiar el color de los píxeles por donde pasa el pincel de la herramienta sin importar si son o no adyacentes a la muestra.

   • Contiguo: Sólo cambiará el color de aquellos píxeles colindantes a la muestra, es decir, conectados por alguna zona.

- **Hallar bordes:** Sustituye sólo píxeles contiguos pero además respeta los bordes de las formas sobre las que pasamos el pincel de la herramienta. Para la corrección de ojos rojos ésta será la opción que debamos seleccionar.
6. Tal como hemos comentado, elija un valor de tolerancia próximo a 40 pero aumente o disminuya esta cifra según los resultados que obtenga. Mantenga activa la casilla **Suavizar** para mejorar el resultado de la corrección.
7. Finalmente arrastre con cuidado sobre el área a corregir. Si no consigue el efecto deseado, pulse **Control-Z**, modifique el valor de tolerancia e inténtelo de nuevo.

Estos son los pasos para sustituir de forma local y controlada cualquier color dentro de la imagen con la herramienta Sustitución de color.

Figura 7.9. Opciones de muestreo de la herramienta Sustitución de color.

7.9. Otros comandos relacionados con el color

Hasta ahora hemos tratado muchas herramientas dedicadas a la corrección del color en nuestras imágenes. Pues bien, a continuación describiremos otra serie de comandos que permitirán conseguir extraordinarios resultados a partir de transformaciones realizadas sobre los tonos originales. Como decimos, inicialmente no se trata de opciones que nos permitan solucionar problemas de tono, brillo, contraste, etcétera, más bien servirán como herramientas creativas para obtener nuevas y sorprendentes versiones de nuestras imágenes.

7.9.1. Invertir

El comando Invertir, incluido también entre las posibilidades del panel Ajustes, analiza cada uno de los píxeles de la imagen y los sustituye por sus valores opuestos. Es importante destacar que este comando actúa de manera independiente sobre cada canal de la imagen y, por lo tanto, el resultado será diferente en función del modo de color en el que se encuentre la imagen.

> **Nota:** *A diferencia de la mayoría de los ajustes y correcciones, tras aplicar el comando* Invertir *no se produce ninguna pérdida de color. Para comprobarlo puede aplicar de nuevo el comando* Invertir *y observará que la imagen recupera el aspecto original.*

7.9.2. Desaturar

Nos encontramos ante otro comando que tampoco ofrece ningún tipo de posibilidad de configuración y tiene como misión eliminar totalmente la saturación de la imagen, aplicando una suave capa de color gris sobre la misma. Tras aplicar este comando, perderemos toda la información del color y la imagen quedará representada en escala de grises, aunque mantendrá el modo original. En determinadas fotografías como retratos o paisajes el resultado es simplemente increíble.

7.9.3. Umbral

Después de ejecutar el comando Umbral, el resultado obtenido será una imagen completamente en blanco y negro, sin valores intermedios. En este caso, Photoshop identifica el porcentaje de brillo de cada píxel y en función de este valor, le asigna el color blanco o negro. Al seleccionar el comando Umbral aparece un histograma, cuya función no es otra que representar la distribución de los niveles de brillo de la imagen.

Bajo este esquema dispone de un regulador que puede desplazar hacia la izquierda o hacia la derecha para definir el valor del umbral a partir del cual los píxeles tomarán el color blanco o negro.

7.9.4. Posterizar

El último comando de esta serie dedicada a las transformaciones basadas en el color de la imagen va todavía un poco más allá que el comando Umbral y utiliza muchos más colores para realizar el mismo efecto. Es decir, si en el comando Umbral todos los colores eran sustituidos por el blanco o el negro, con el comando Posterizar el número de colores por el que se puede sustituir cada píxel de la imagen es mayor, y como consecuencia, el resultado del efecto mucho más espectacular.

En las opciones del comando Posterizar, deberemos indicar el número de niveles que queremos usar. Por defecto el valor es cuatro, lo cual significa que en una imagen RVA (RGB) tendríamos doce colores: cuatro son para el rojo, cuatro para el verde y otros cuatro para el azul.

Photoshop elegirá el color que más se aproxime para cada píxel de la imagen, según el número de niveles elegidos. En la figura 7.10 podemos ver un ejemplo.

Figura 7.10. Resultado de utilizar el comando Posterizar.

7.9.5. Mapa de degradado

Si le gusta obtener resultados sorprendentes en sus imágenes, pruebe a utilizar el comando **Mapa de degradado**. Entre sus opciones haga clic sobre la muestra que aparece para acceder al editor de degradados o simplemente seleccione el pequeño botón situado a la derecha para utilizar alguno de los modelos preestablecidos.

Está claro que el sentido de esta herramienta está enfocado a la transformación de la imagen para generar diseños espectaculares, fondos, etc.

7.10. Panel Muestras

El panel **Muestras**, que puede ver en la figura 7.11, contiene una serie de tonalidades que podemos usar para seleccionar el color de primer plano y el color de fondo. Para elegir un color de primer plano de este panel, sólo tiene que hacer clic sobre él, y para elegir un color de fondo, haga la misma operación pero manteniendo pulsada la tecla **Alt**.

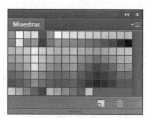

Figura 7.11. Panel Muestras.

Los colores de este panel no son ni mucho menos invariables; puede crear sus propias muestras añadiendo o suprimiendo colores. Para eliminar un color, mantenga pulsada la tecla **Alt** mientras hace clic sobre el color que desea quitar de la muestra. Comprobará cómo el cursor se transforma en unas pequeñas tijeras. Para añadir un color, haga que éste sea el color de primer plano y después mantenga pulsada la tecla **Control** al mismo tiempo que hace clic sobre alguna zona vacía del panel. En este caso, el cursor se convierte en un cubo de pintura. Antes de incluir la muestra, aparecerá un cuadro de diálogo donde debemos indicar un nombre para la misma.

> **Nota:** *Para recuperar los colores predeterminados, seleccio-ne el comando* Restaurar muestras *del menú asociado al panel* Muestras.

Si después de crear una muestra de color personalizada desea guardarla, use el comando Guardar muestra del menú asociado al panel. Para recuperarla, seleccione el comando Cargar muestra del mismo menú.

Todas estas opciones le resultarán muy útiles cuando realice trabajos en los que necesite trabajar con varios documentos con colores similares.

7.11. Panel Color

El panel Color tiene el aspecto que muestra la figura 7.12 y permite conocer los valores exactos de los colores de primer plano y de fondo, sin necesidad de abrir el selector de color. En la parte izquierda del panel, haga clic sobre el cuadro **Configurar color de fondo** o **Configurar color de primer plano**.

Figura 7.12. Panel Color.

Los reguladores del panel Color permiten modificar estos colores para adaptarlos a nuestras necesidades. En el menú asociado podremos elegir el modo de color que deseamos utilizar para la selección de color. Si lo prefiere, recurra a la barra de color situada en la parte inferior del panel, aunque este método resulta menos preciso que los reguladores.

> **Truco:** *Observe como en el extremo derecho del regulador que aparece en la parte inferior del panel* Color *dispone de dos pequeños cuadrados, uno de color blanco y otro de color negro. Utilícelos para seleccionar rápidamente cualquiera de estos dos colores básicos.*

En este capítulo hemos mostrado los comandos dedicados al tratamiento del color que tienen como fin corregir o modificar aspectos de la imagen relacionados con el color, el brillo, el contraste o la saturación. En este grupo encontramos comandos como Curvas o Reemplazar color.

Pero también hemos mostrado los detalles de herramientas y comandos que permiten modificar la imagen pero con un propósito creativo, como por ejemplo, el comando Invertir, Variaciones o Mapa de degradado.

8

Filtros, parte I

8.1. Introducción

Los filtros permiten aplicar diferentes variaciones sobre una imagen con el fin de conseguir un efecto determinado, o también, utilizar diferentes factores de corrección sobre algún parámetro con el propósito de solucionar algún problema. Existen filtros para todos los gustos, necesidades así como situaciones.

Además, si no tuviéramos suficiente con todos los incluidos en Photoshop, existen multitud de empresas que se dedican a desarrollar filtros adicionales, denominados comúnmente *Plugins*.

Cualquiera sin demasiados conocimientos puede aplicar sobre la imagen algunos de los muchos filtros que hay disponibles y seguro que sorprenderá a más de un amigo con lo resultados.

Pero si lo que de verdad necesitamos es aprovechar todas sus posibilidad y no obtener resultados al azar, es imprescindible conocer el significado de sus opciones y como afectan éstas al resultado final de la transformación.

En este capítulo y el siguiente los dedicaremos a conocer en detalle las características más relevantes de los filtros y transformaciones más importantes de Photoshop.

> **Nota:** *Es probable que sea aburrido después de varias páginas leer la descripción de tantas y tantas opciones. Lo mejor, es que al mismo tiempo que hablamos de ellas las vaya probando para conocer sus efectos y por supuesto divertirse mucho más.*

8.2. Filtros inteligentes

Utilizar el adjetivo "inteligente" quizás sea un poco preten-
cioso pero los ingenieros de Adobe han debido pensar que se
trata de una buena forma de reclamar la atención sobre esta
nueva característica del programa. En cualquier caso, los filtros inteligentes suponen un importante avance y debemos
tenerlos muy en cuenta.

Pero... ¿qué es un filtro inteligente? Pues bien, la propiedad
más importante que define este tipo de elemento sería que los
cambios generados sobre la imagen no destruyen la información original de la misma.

Por compararlo con algo que conocemos, podríamos decir
que se comportan del mismo modo que los efectos de capa o
el panel Ajustes, siendo sencillo eliminar cualquier transformación y recuperar el aspecto inicial de la capa sobre la que
fue aplicada.

Hasta no hace demasiado tiempo esto no era posible y debíamos utilizar otros recursos del programa como guardar una
copia, duplicar la imagen o crear instantáneas. Todos estos
métodos siguen siendo válidos pero el uso de objetos inteligentes resulta mucho más cómodo y sencillo.

*Advertencia: Debe saber que no es posible usar las caracte-
rísticas "inteligentes" con comandos de transformación como*
Licuar o Punto de fuga.

8.2.1. Convertir en objeto inteligente

Antes de poder aplicar las características comentadas sobre
los filtros inteligentes, es necesario convertir en "inteligentes"
los elementos de capa.

Para ello, siga estos sencillos pasos:

1. Haga clic sobre la capa que desea utilizar para aplicar
   los efectos o filtros.
2. Seleccione en el menú Filtro el comando Convertir para
   filtros inteligentes.

Después de estos dos pasos, el aspecto de la miniatura que
representa la capa tomará el aspecto que puede ver en la figura 8.1 y a partir de aquí ya puede utilizar filtros de forma
"no destructiva" sobre la imagen.

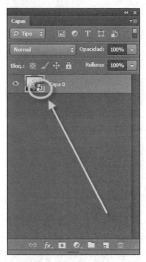

Figura 8.1. Capa preparada para utilizar filtros inteligentes sobre los elementos que la forman.

8.2.2. Aplicar filtros inteligentes

Ahora que ya tenemos preparada la capa, el siguiente paso será abrir el menú Filtro y elegir alguna de las innumerables posibilidades que ofrece. Por ejemplo, seleccione cualquier filtro de la categoría Distorsionar y entonces aplíquelo sobre la capa.

Compruebe en la figura 8.2 como bajo el nombre de la capa aparece una nueva categoría denominada Filtros inteligentes y a continuación el nombre del efecto que acabamos de emplear.

Esta es la forma que tiene Photoshop de representar los filtros inteligentes asociados a una capa. Como ya hemos comentado, es el mismo sistema utilizado para los efectos de capa, de hecho, si decidimos añadir también un efecto de capa sobre la imagen, aparecerá una nueva categoría denominada Efectos donde se englobarán estos elementos como puede ver en la figura 8.3.

Figura 8.2. Nuevo filtro inteligente creado sobre una capa.

Figura 8.3. Filtros inteligentes y Efectos sobre una misma capa.

Nota: Dos pequeños círculos a la derecha del nombre de la capa indican que tiene aplicados filtros inteligentes. Además el pequeño botón situado en extremo derecho permite mostrar u ocultar todos los efectos.

8.2.3. Tareas habituales con filtros inteligentes

Como hemos podido ver los filtros inteligentes proporcionan una forma mucho más cómoda de trabajar con efectos y transformaciones. Esta situación hace que necesitemos conocer nuevos métodos para aprovechar todas sus posibilidades.

Entre las grandes ventajas de los filtros inteligentes insistimos en su capacidad para no alterar la información original de la capa. Si desea poner esto en práctica y quiere eliminar cualquier filtro aplicado sobre una capa para recuperar el aspecto original de la imagen, sólo es necesario hacer clic con el botón derecho sobre el nombre del filtro y seleccionar el comando Eliminar filtro inteligente. La figura 8.4 muestra este menú emergente. En este mismo menú se encuentra el comando Deshabilitar filtro inteligente que no lo elimina sino que simplemente desactiva sus efectos. Esto mismo lo podemos conseguir con el pequeño icono representado por un "ojo" situado a la izquierda del nombre de cada filtro. Esta funcionalidad es la misma que controla la visibilidad de las capas.

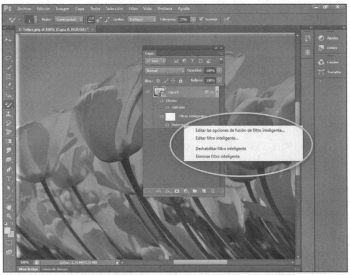

Figura 8.4. Menú emergente asociado a un filtro inteligente.

Igual que ocurre con las capas, el orden de apilado y por lo tanto de aplicación de los filtros inteligentes determinan el resultado final. Si lo desea puede cambiar la posición de cualquier filtro con tan sólo hacer clic sobre él y arrastrarlo hasta su nueva posición. Una línea de color oscuro le servirá como referencia para conocer la situación del elemento que está moviendo.

> *Truco:* El *comando* **Convertir en objeto inteligente** *también se encuentra disponible en el menú emergente que aparece después de hacer clic con el botón derecho sobre cualquier capa de la imagen.*

Otra ventaja de los filtros inteligentes es que podemos cambiar su configuración tantas veces como deseemos y de esta forma probar diferentes configuraciones hasta encontrar la más adecuada para nuestros propósitos. Para acceder al cuadro de diálogo de cualquiera de los filtros aplicados sobre una capa tenemos dos opciones: la primera sería seleccionar el comando **Editar filtro inteligente** en el menú contextual que muestra el programa cuando hacemos clic con el botón derecho sobre el nombre del filtro. O también, podemos conseguir el mismo resultado haciendo doble clic directamente sobre el nombre.

De igual modo que ocurre con las capas, Photoshop permite añadir toda la potencia de los modos de fusión a las ya comentadas ventajas de los filtros inteligentes. A la derecha del nombre del filtro, observará que se encuentra un pequeño icono, haga doble clic sobre él para mostrar el cuadro de diálogo que podemos ver en la figura 8.5. En el podremos elegir el modo de fusión que deseemos y modificar el grado de opacidad.

Todo esto, visualizando el resultado al instante en el área de vista previa o en la propia imagen.

8.3. Seleccionar y aplicar efectos desde la galería de filtros

Una vez comentadas las posibilidades de los filtros inteligentes, fijemos nuestra atención en el menú **Filtros** donde encontraremos un buen número de categorías diferentes como muestra la figura 8.6.

Dentro de cada una de ellas se engloban todos los filtros incluidos en Photoshop.

Además, dentro de este mismo menú también aparecerá cualquier otro plugin instalado, así como los comandos Licuar, Pintura al óleo o Punto de fuga de los que hablaremos en el capítulo dedicado a las transformaciones.

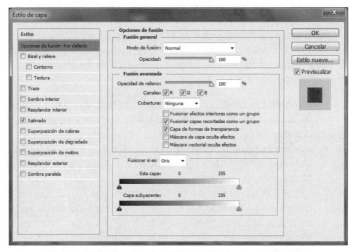

Figura 8.5. Cuadro de diálogo Opciones de fusión.

Figura 8.6. Todas las categorías de filtros.

163

Antes de existir la Galería de filtros si queríamos conocer el resultado de cualquier filtro sobre la imagen debíamos seleccionarlo en cualquiera de las categorías existentes y, a continuación, aplicarlo.

Si no nos convencía el resultado, elegíamos entonces otro y así hasta encontrar el que fuera más adecuado para nuestros propósitos.

Pero todo ha cambiado, la Galería de filtros, cuyo aspecto podemos ver en la figura 8.7, recoge en un solo cuadro de diálogo gran parte de los filtros disponibles en Photoshop y ofrece las siguientes ventajas:

- Permite comprobar al instante el resultado de cualquier filtro, con tan sólo hacer clic sobre su nombre y sin salir del mismo cuadro de diálogo.
- Podemos ajustar todos los parámetros al mismo tiempo que comprobamos el resultado de los ajustes en tiempo real sobre la imagen.
- Ofrece la posibilidad de aplicar varios filtros sobre la imagen sin abandonar el entorno de la Galería. En este sentido, también podemos utilizar más de una vez el mismo filtro y comprobar sus resultados en la vista preliminar.

Figura 8.7. Galería de filtros.

Una vez abierta la Galería de filtros usarla es de lo más sencillo, ya que simplemente tendremos que ir buscando entre las distintas categorías y hacer clic sobre la representación de cada filtro. Tras unos instantes, según la complejidad de cada filtro y el tamaño de la imagen, podremos ver una vista preliminar del resultado en el marco de la izquierda del cuadro de diálogo.

El área derecha del cuadro de diálogo muestra las opciones de configuración de cada filtro. Todas las variaciones que hagamos sobre los controles de cada filtro también se mostrarán al instante en la vista preliminar.

> *Truco: Utilice el pequeño botón circular que está resaltado en la figura 8.8, para aumentar el espacio disponible para la vista preliminar. En este caso, puede usar la lista de filtros de la sección de configuración para elegir cualquier otro efecto.*

Figura 8.8. Botón para aumentar la vista preliminar y lista de filtros.

8.3.1. Capas de efectos de la Galería de filtros

Entre las posibilidades de la Galería enumeradas al principio del apartado, comentamos la capacidad de aplicar más de un filtro al mismo tiempo sobre la imagen.

La forma de conseguirlo es mediante las capas de efecto:

1. Abra la Galería de filtros, seleccione una categoría y después haga clic sobre alguno de los efectos disponibles.
2. En la esquina inferior derecha de la galería, se encuentran las capas de efecto. Haga clic en el icono Nueva capa de efecto resaltado en la figura 8.9 y compruebe como al instante se crea una nueva capa con el nombre del filtro seleccionado en ese momento.

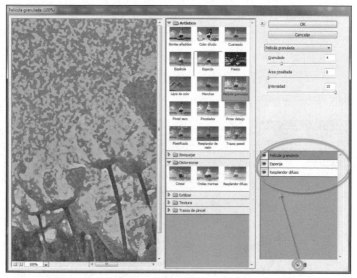

Figura 8.9. Capas de efecto en la Galería de filtros.

3. Repita estos pasos tantas veces como efectos quiera aplicar sobre la imagen.
4. Cada una de las capas de efecto dispone de un pequeño icono que permite ocultarla o mostrarla respectivamente. De este modo puede configurar el resultado con todos o parte de los efectos aplicados.
5. Cuando termine, haga clic en **OK** y se aplicarán los filtros asociados a capas de efecto visibles. Más sencillo, el aspecto de la imagen será el que muestre la vista preliminar de la Galería.

Nota: Para eliminar cualquier capa de efecto, arrástrela sobre el icono representado por un pequeño cubo de basura.

8.4. Categorías de filtros más importantes

En los siguientes apartados comprobaremos los efectos y aprenderemos a configurar los ajustes más importantes de la mayoría de los filtros de las primeras categorías, incluidas en su mayoría dentro de la Galería de filtros. Nuestra referencia será la imagen de la figura 8.10. Compare el efecto de cada filtro con la imagen original para contrastar los resultados.

Figura 8.10. Imagen de referencia.

> *Truco: En todos aquellos filtros que tengan asociado un cuadro de diálogo pulse la tecla **Alt** y el botón **Cancelar** se convertirá en **Restaurar**. Utilice este método para restablecer los valores originales del filtro.*

Si estuviera desactivada la posibilidad de utilizar la galería de filtros, así como muchas de las categorías de efectos disponibles, compruebe en el menú Imagen>Modo la opción seleccionada. Por ejemplo, para imagen en modo RGB de 16 bits por canal no es posible utilizar la mayoría de los filtros disponibles.

> **Nota:** *Algunas categorías como* **Distorsionar** *o* **Estilizar** *tienen presencia en la Galería y en el menú* **Filtro** *pero no contienen los mismos elementos.*

8.5. Artístico

Como su nombre indica el objetivo de este grupo de filtros es simular efectos y estilos de pintura tradicionales. Los filtros con motivos artísticos, incorporados desde las primeras versiones de Photoshop, ofrecen un toque romántico y tradicional a la imagen. A continuación mostramos sus características.

8.5.1. Bordes añadidos

Este filtro modifica los bordes de los elementos seleccionados dentro de la capa actual, oscureciéndolos. En realidad, aplica una posterización (modificar el número de niveles de tono o bien variar la luminosidad) en aquellas zonas cercanas a un cambio brusco de color. Los mejores resultados se obtienen cuando aplicamos este filtro sobre elementos cuyo color contrasta con el color de fondo. En la figura 8.11 puede ver un ejemplo de los efectos de este filtro.

Figura 8.11. Bordes añadidos.

Bordes añadidos posee tres parámetros: Grosor de borde, Intensidad de borde y Posterización. Pruebe distintas combinaciones de estos valores para modificar el resultado del filtro.

8.5.2. Color diluido

Si es aficionado a la pintura, conocerá las técnicas del dibujo con acuarela o con témpera. Este filtro simula estos estilos de pintura consiguiendo un efecto bastante atractivo.

Modifique las distintas posibilidades de configuración de este filtro y utilice la vista preliminar para comprobar los resultados antes de aplicarlos sobre la imagen. Los parámetros Detalle del pincel e Intensidad de sombra conseguirán las mayores distorsiones sobre el resultado.

8.5.3. Cuarteado

Al aplicar este filtro perdemos gran parte de los detalles de la imagen, eliminando transiciones e intensificando los colores sólidos de la misma. La sensación es similar a la conseguida cuando dibujamos sobre un papel de color con un alto grado de rugosidad.

Juegue con el control Número de niveles y compruebe los resultados hasta obtener la versión deseada.

8.5.4. Espátula

De nuevo nos encontramos con otro filtro que simula los efectos de una técnica de pintura más que conocida, se trata de imitar el resultado de un cuadro realizado al óleo con espátula. En la figura 8.12 puede ver un ejemplo de este curioso filtro.

En este filtro la opción Tamaño de trazo determina el aspecto final, mueva de un extremo a otro ese regulador y compruebe los resultados.

8.5.5. Esponja

Imagínese ante varios cubos de pintura, un gran lienzo y una sencilla esponja. Ahora sigua imaginando que es un gran pintor capaz de hacer maravillas con estos elementos tan simples.

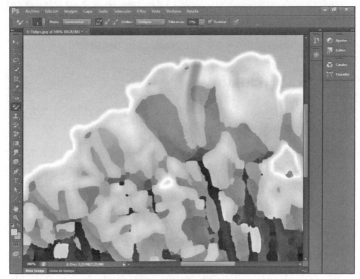

Figura 8.12. Espátula.

El resultado de usar la esponja para dibujar sobre ese lienzo es el efecto equivalente a utilizar este filtro.

Después de aplicarlo, todo estará formado por grandes manchas de diferentes tonos. Personalmente creemos que se trata de uno de los filtros más atractivos de este conjunto.

Dentro de las opciones existentes en el cuadro de diálogo que aparece cuando seleccionamos este filtro y que puede observar en la figura 8.13, utilice el Tamaño de pincel para definir el grado de detalle así como la opción Suavizado para atenuar las transiciones entre colores y hacer más agradable el resultado.

8.5.6. Fresco

Este efecto intenta imitar al estilo de pintura con el mismo nombre. Aunque también podemos compararlo con un dibujo trazado a partir de grandes pinceladas y con poco nivel de detalle.

Entre las opciones disponibles, el tamaño del pincel tiene la misma función que acabamos de ver en el filtro anterior y la opción Textura aumenta o diminuye la cantidad de pintura aplicada.

170

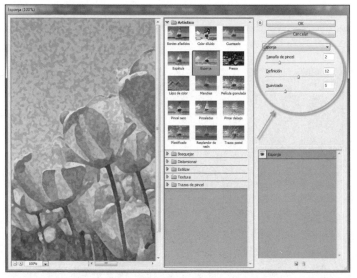

Figura 8.13. Opciones del filtro Esponja.

8.5.7. Lápiz de color

Después de aplicar este filtro, nuestra imagen aparecerá como un dibujo hecho con lápices de colores. El color de fondo de la imagen se transforma y toma como base el color de segundo plano activo en el selector de la Caja de herramientas, no olvide este aspecto a la hora de obtener los resultados deseamos.

En este caso, la opción Anchura de lápiz equivale al Tamaño de pincel que hemos visto en los filtros anteriores, la Presión de trazo limita la intensidad del trazado y el Brillo del papel controla el fondo de la imagen. En la figura 8.14 puede ver un ejemplo.

> *Advertencia: Debe tener en cuenta que mientras mayor sea el grosor del lápiz, menor detalle tendrá la imagen final.*

8.5.8. Manchas

La deformación de la imagen se realiza utilizando cortos trazos diagonales queriendo imitar el uso de rotuladores sobre papeles algo rugosos.

Las zonas más claras ganan en luminosidad, en cambio las oscuras quedan emborronadas tal como puede observar en la figura 8.15.

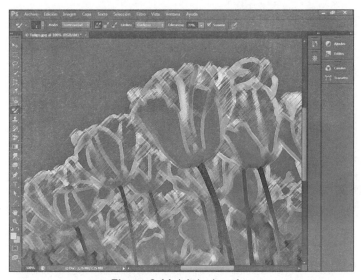

Figura 8.14. Lápiz de color.

Figura 8.15. Filtro Manchas.

8.5.9. Película granulada

¿Se has fijado en el aspecto de un canal de televisión mal sintonizado? Pues el resultado de aplicar este filtro es muy similar, añade a la imagen algo de ruido, generando un efecto de distorsión sobre la misma.

Utiliza el valor **Granulado** para controlar la cantidad de ruido y la opción **Área resaltada** para dar más o menos brillo a la imagen según te convenga.

Nota: *Cuando hablamos de ruido en una imagen, hablamos de píxeles distribuidos aleatoriamente con distintos niveles de color que crean una distorsión sobre los colores originales de la imagen.*

8.5.10. Pinceladas

Éste es otro filtro con el que podemos conseguir sorprendentes resultados. La deformación que conseguimos está a medias entre el óleo y la acuarela. Después de aplicarlo, podrá comprobar que los colores originales apenas han sido modificados pero en cambio, la nitidez de la imagen sí ha sufrido una gran transformación.

Nota: *También es posible usar este filtro en aquellos casos donde sea necesario reducir la gama de colores utilizada en la representación de una imagen.*

8.5.11. Pintar debajo

El filtro Pintar debajo es algo más complejo que los que hemos visto hasta ahora. Coincidirá con nosotros simplemente con observar su repertorio de opciones en la figura 8.16. Como resultado de aplicar este filtro, obtenemos una imagen final en la que se ha utilizado una textura base y sobre ésta, se ha colocado la imagen inicial. La textura se funde en las zonas más claras de la imagen inicial generando un original resultado.

Truco: *Si lo necesita puedes crear su propia textura y aplicarla utilizando la opción* **Cargar textura** *que aparece si pulsamos el pequeño botón que se encuentra a al derecha de la lista* **Textura**.

Figura 8.16. Opciones disponibles para el filtro Pintar debajo.

8.5.12. Plastificado

El nombre del filtro ya lo dice casi todo. Después de aplicarlo la imagen parecerá estar cubierta por una fina película de plástico transparente. Si la imagen tiene predominio de zonas oscuras, el efecto será aún más notable y espectacular, sobre todo en los contornos donde parecerá que realmente el plástico tiene pliegues.

8.5.13. Resplandor de neón

Es muy común, sobre todo en las discotecas, utilizar luces de neón para conseguir determinadas sensaciones luminosas. Normalmente es el color blanco el que aparece resaltado al utilizar estas luces.

El efecto que obtenemos con este filtro es un coloreado de la imagen tomando como base un tono determinado. Este color sería el color de la luz que estemos aplicando, y podemos seleccionarlo en la casilla Color de resplandor situada entre las opciones de este filtro como podemos ver en la figura 8.17. Después de esto aparecerá el selector de color de Photoshop, donde podremos elegir el tono que deseemos.

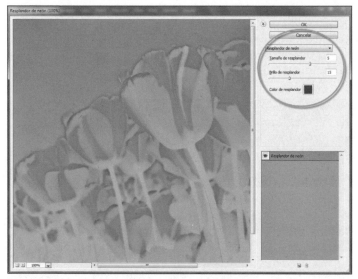

Figura 8.17. Opciones del filtro Resplandor de neón.

El segundo de los colores que intervenga en el coloreado de la imagen de este filtro será el seleccionado en el selector de la caja de herramientas como color de primer plano.

8.5.14. Trazos pastel

Su función es simular la técnica de pintura del mismo nombre, aplicando trazos gruesos y descubriendo en las partes menos iluminadas parte de la textura elegida. El resultado, que podemos apreciar en la figura 8.18, genera efectos muy elegantes cuando se usa sobre imágenes con alto contraste entre los colores que la componen.

> **Nota:** *Los modelos de textura que proporcionarán mejores resultados con este filtro son, sin duda,* Lienzo *y* Arenisca.

8.6. Bosquejar

Este grupo de filtros mantiene algunas características del bloque anterior, puesto que de nuevo simula algunas técnicas de dibujo tradicional, pero también nos ofrece la posibilidad de imitar trazos realizados a mano así como vistosos efectos de relieve o tridimensionales. Muchos de los filtros que forman parte de este conjunto utilizan los colores frontal y de fondo seleccionados en la caja de herramientas para componer la imagen final.

Figura 8.18. Trazos pastel.

8.6.1. Bajorrelieve

Bajorrelieve esculpe la imagen en piedra, creando un efecto tridimensional muy atractivo. Entre sus opciones destacamos la denominada **Detalle** con la que podremos controlar la nitidez del resultado, mientras menos detalles más difícil será reconocer la imagen original.

La opción **Suavizado** reduce los cambios bruscos del efecto, y la dirección de la luz permite controlar las sombras y las luces.

En este filtro intervienen el color frontal y de fondo activos en el selector. De este modo, las zonas más oscuras se forman con el color de primer plano y el color de fondo se aplica en áreas claras de la imagen. En la figura 8.19 puedes ver un ejemplo en el que hemos aplicado el filtro Bajorrelieve con las opciones por defecto.

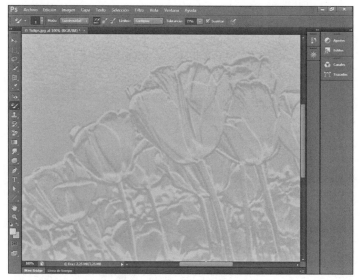

Figura 8.19. Bajorrelieve.

8.6.2. Bordes rasgados

Nuevamente en este filtro intervienen los colores de fondo y de primer plano, aplicando en las zonas más oscuras el color de primer plano y en las zonas más claras el color de fondo. Además, en aquellas franjas en las que exista un alto nivel de contraste, este efecto imita el aspecto de los bordes de una hoja de papel después de romperla.

Entre las opciones de este filtro cabe destacar la denominada Equilibrio de imagen que nos permite controlar la iluminación de la misma.

Los valores más cercanos al cero aclaran la imagen hasta llegar al color de fondo y viceversa.

8.6.3. Carboncillo

Tal y como podrá imaginar este filtro imita la técnica del carboncillo.

El color de primer plano se aplica sobre las zonas más claras, imitando con trazos diagonales el efecto del carboncillo. El color de fondo se utiliza para rellenar las zonas más oscuras de la imagen.

La opción **Anchura de carboncillo** define la exactitud de los trazos y **Detalle** controla la relación de aspecto entre el dibujo original y el resultado final del filtro. En la figura 8.20 puede ver un ejemplo donde se han mantenido las opciones por defecto.

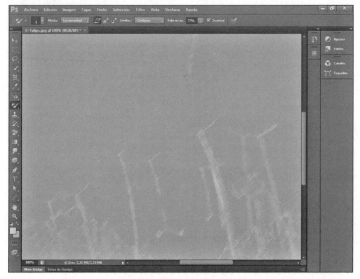

Figura 8.20. Carboncillo.

> *Truco: Si realmente quieres imitar la técnica del carboncillo deberá utilizar los colores propios de la misma, es decir, blanco y negro.*

8.6.4. Conté Crayón

Este filtro con tan extraño nombre fundamenta su resultado en la aplicación de una textura.

Utiliza también el color de fondo para las zonas más oscuras y el color de primer plano en áreas más claras, dejando al descubierto el aspecto de la textura en aquellas zonas más iluminadas.

Si quieres que el resultado del efecto se ajuste lo más fielmente posible al resultado original de esta técnica, usa los colores que la caracterizan: negro, sepia y sanguina.

Entre las opciones destacamos dos: Nivel frontal y Nivel de fondo. Cada una de estas opciones controla la cantidad de color de fondo y color de primer plano utilizado para generar el efecto.

8.6.5. Cromo

El filtro Cromo imita el aspecto del metal líquido. El resultado es una imagen en escala de grises que, por lo general, no mantiene demasiada fidelidad con el original. La figura 8.21 muestra la imagen de ejemplo después de aplicarle este filtro con las opciones por defecto.

Las opciones Detalle y Suavizado tienen las mismas funciones que en los filtros anteriores.

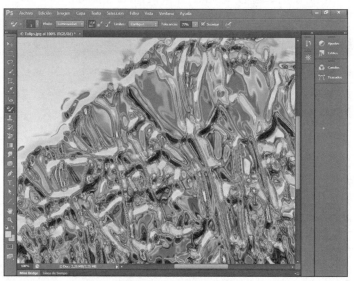

Figura 8.21. Cromo.

8.6.6. Escayola

Nos encontramos ante otro filtro que crea un efecto de relieve sobre la imagen original pero, a diferencia del filtro Bajorrelieve, los bordes son más suaves y redondeados. También provoca una pérdida mayor de fidelidad con respecto a la imagen original.

Para generar el resultado final, se utilizan los colores de primer plano y de fondo, aplicando el primero de ellos sobre las zonas menos iluminadas y el color de fondo sobre áreas más oscuras.

8.6.7. Estilográfica

Los resultados de este filtro resultan bastante impactantes sobre todo en imágenes con gran variedad de contenido cromático y alto nivel de contraste. El resultado del efecto se consigue utilizando finos trazos lineales para definir el contenido de la imagen. Observe la figura 8.22. El filtro Estilográfica usa el color de primer plano para imitar el color del papel y el color de fondo, para los trazos de tinta. La opción Longitud de trazo permite controlar la definición final de la imagen.

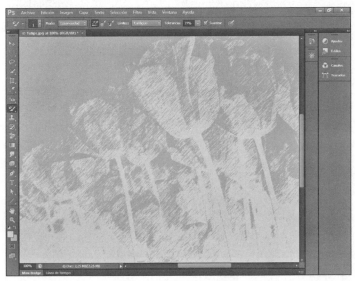

Figura 8.22. Estilográfica.

8.6.8. Fotocopia

Si ha probado alguna vez a fotocopiar una imagen, ya conoce el resultado de este efecto. Sustituye las zonas oscuras de la imagen por el color de fondo pero aplicando sombras suaves sobre los bordes. La opción Detalle te permite elegir el grado de similitud que deseas mantener con la imagen original. La segunda de las opciones, **Oscuridad**, controla la cantidad de negro que tendrá la imagen, o en el caso de no estar utilizando este color, la cantidad de color de primer plano.

> **Nota:** *En cualquier caso, si lo que desea es imitar lo más fielmente el efecto de fotocopiar una imagen, utilice blanco y negro.*

8.6.9. Modelo de semitono

El filtro Modelo de semitono transforma la imagen añadiendo una trama basada en los colores de primer plano y de fondo activos en el selector de la caja de herramientas.

Utilice la lista desplegable **Tipo de motivo** para seleccionar el estilo de trama que quiere aplicar. Los modelos **Círculo** y **Línea** crean efectos curiosos sobre la imagen. En cambio la opción por defecto **Punto** respeta algo más el aspecto original.

Las dos opciones restantes, **Tamaño** y **Contraste,** definen el aspecto de la trama seleccionada y sus niveles de color, respectivamente. En la figura 8.23 puede ver un ejemplo en el que se ha elegido la opción **Círculo** como modelo para la trama.

Figura 8.23. Modelo de semitono con la opción Círculo seleccionada.

> **Nota:** *En el filtro Modelo de semitono el color de primer plano se utiliza para rellenar las zonas más oscuras de la imagen, y el color de fondo se usa en aquéllas donde la iluminación es más intensa.*

8.6.10. Papel con relieve

Si la imagen sobre la que aplicamos el filtro Papel con relieve tiene un gran nivel de contraste entre el color de fondo y el color del motivo, obtendremos resultados asombrosos. El efecto se crea sobre una textura con efecto granulado, utilizando el color de fondo para representar las zonas más claras de la imagen.

La opción Granulado define la rugosidad de la textura y la última de las opciones, Relieve, nos permite controlar la altura del efecto.

> **Truco:** *Éste puede ser un buen filtro para crear vistosas texturas que puede utilizar por ejemplo como fondo para una página Web.*

8.6.11. Papel húmedo

Papel húmedo es otro curioso filtro que permite imitar el resultado de mojar un lienzo sobre el que se ha dibujado con rotuladores o pinturas sintéticas. Como puede observar en la figura 8.24, la distorsión generada sobre la imagen original es realmente espectacular.

La opción Longitud de fibra define la amplitud de la distorsión; mientras mayor sea este valor, más se extenderá el efecto.

> **Truco:** *Si quiere que la imagen final tenga un fondo no uniforme aumente el valor de la opción Brillo con cantidades superiores a 70.*

8.6.12. Reticulación

Aplica un granulado utilizando los colores de primer plano y de fondo seleccionados. Para la creación del efecto, se toman como referencia las zonas claras y oscuras de la imagen.

Figura 8.24. Papel húmedo.

En las opciones, **Nivel frontal** corresponde a la cantidad de color de primer plano utilizado para obtener el resultado final. Por el contrario, la opción **Nivel de fondo** controla la cantidad de color de fondo. Juega con estos dos valores y comprueba los resultados en la vista preliminar.

8.6.13. Tampón

Un tampón es normalmente una inscripción o sello tallado sobre madera o material sintético. Para utilizarlo, se empapa en esponjas rellenas de tinta para después dejar su impresión sobre papel. El objetivo de este filtro es simular el efecto que produce un tampón después de aplicarlo sobre un papel, dejando entrever las formas simples de la imagen. Los mejores resultados con este filtro los obtendremos sobre imágenes sencillas y en escala de grises. Si la imagen es demasiado compleja, el efecto final será un montón de manchas sin sentido.

8.6.14. Tiza y carboncillo

El último filtro de esta serie de nuevo imita a la conocida técnica del carboncillo pero, en esta ocasión, ejerciendo más énfasis sobre las zonas más claras de la imagen.

Para crear el efecto, se utilizan los colores de primer plano y de fondo, donde el primero actúa como carboncillo y el segundo hace las veces de tiza. Es decir, el color de primer plano se usa para definir las zonas más oscuras de la imagen y el de fondo se aplica sobre áreas más iluminadas.

En las opciones puedes utilizar los controles Área de carboncillo y Área de tiza para controlar la cantidad de tinta que se aplica en cada uno de los casos. La última de las opciones permite modificar la intensidad del color. En la figura 8.25 puedes ver un ejemplo en el que hemos aplicado este filtro utilizando las opciones por defecto.

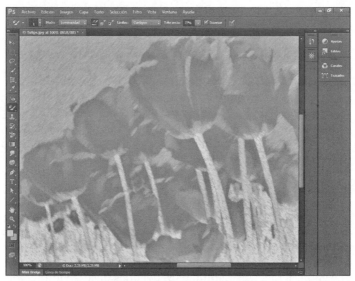

Figura 8.25. Tiza y carboncillo.

8.7. Desenfocar

La mayoría de los filtros incluidos dentro de este conjunto, agrupados bajo el nombre Desenfocar, se utiliza principalmente para retocar imágenes, más que como opciones de transformación.

Lamentablemente los filtros de este conjunto no se encuentran disponibles en la Galería de filtros, si bien es cierto, que su uso es menos frecuente que los tratados hasta ahora.

El desenfoque de una imagen tiene como objetivo el suavizado de la misma realizando correlaciones entre el brillo, el color y el contraste.

---

*Truco: La combinación de teclas **Control-F** te permite ejecutar de nuevo el último filtro utilizado, lo que es útil a la hora de usar los filtros de este grupo, dado que el grado de desenfoque se va acumulando.*

8.7.1. Desenfocar y Desenfocar más

Los primeros filtros de este grupo se diferencian solamente en la intensidad del efecto de desenfoque, puesto que con el filtro Desenfocar más es aproximadamente cuatro veces mayor.

Después de aplicar estos filtros sobre una imagen, conseguiremos una disminución en su nivel de ruido, es decir, un suavizado general atenuando las transiciones en los píxeles adyacentes.

En la figura 8.26 puedes ver nuestra imagen de ejemplo con algo de ruido.

Figura 8.26. Imagen con ruido exagerado
para apreciar mejor el efecto.

8.7.2. Desenfoque de forma

Observa en la figura 8.27 el aspecto del cuadro de diálogo asociado al filtro Desenfoque de forma. Seguro que lo primero que llamará nuestra atención será la lista de símbolos y formas que aparecen la parte inferior.

Para generar el efecto de desenfoque este filtro permite utilizar como patrón o modelo alguna de las formas disponibles en la lista inferior. Además, debe tener en cuenta que mientras mayor sea el valor de la opción Radio, mayor será grado de desenfoque.

Figura 8.27. Cuadro de diálogo Desenfoque de forma.

8.7.3. Desenfoque de lente

El filtro Desenfoque de lente es realmente interesante como herramienta de retoque fotográfico. Se trata de una herramienta que nos permitirá simular un efecto de reducción de campo de manera que ciertas zonas de la imagen permanezcan nítidas mientras otras quedan desenfocadas.

En el cuadro de diálogo asociado a este filtro, y que podemos ver en la figura 8.28, tendremos acceso a todas las opciones para conseguir el efecto deseado en cada situación.

Figura 8.28. Cuadro de diálogo Desenfoque de lente.

A continuación detallamos las opciones que nos parecen más interesantes para aprovechar al máximo este filtro:

- **Mapa de profundidad:** Dentro de esta sección, el regulador denominado Distancia focal de desenfoque permite establecer el área de desenfoque. Todos los píxeles fuera de este radio no se alteran por el filtro y permanecen sin distorsión alguna.

- Iris: La lista desplegable Forma de esta sección permite simular diferentes modelos de lentes para llevar a cabo el proceso de desenfoque. Mediante el regulador Curvatura de hoja podremos suavizar los bordes del modelo de iris elegido y con el valor de Radio determinaremos su tamaño.

- Iluminación especular: Utilice el regulador Umbral para establecer el valor de brillo a partir de cual el píxel se tratarán como iluminación especular. Este tipo de iluminación hace referencia a las propiedades reflectantes de un objeto y también podemos controlar el brillo de estos píxeles mediante el control del mismo nombre.

- Ruido: Como ya hemos comentado, los distintos modelos de desenfoque tienen, entre otros, el propósito de reducir los valores de ruido de una imagen. Si bien esto es cierto, en determinadas ocasiones nos puede interesar añadir una cierta cantidad de píxeles aleatorios para dotar de más naturalidad a la imagen, o simplemente por componer un efecto creativo sobre la misma.

- **Distribución:** Elija aquí la forma en que se distribuirán los píxeles brillantes (ruido) sobre la imagen, uniformemente o siguiendo un patrón gaussiano.

> **Nota:** *Active la casilla* **Monocromático** *si desea que el ruido se no afecte al color original de la imagen.*

8.7.4. Desenfoque de movimiento

Seguro que alguna vez has hecho alguna fotografía desde un coche en movimiento y al revelarla ha quedado sorprendido al comprobar que la imagen está *movida*. Este resultado es justo el efecto que genera el filtro Desenfoque de movimiento. En las opciones de este filtro puedes definir el ángulo y la distancia de la distorsión. Mientras mayor sea este valor, menor nivel de fidelidad existirá con la imagen original.

8.7.5. Desenfoque de rectángulo

En uso de este filtro es más creativo que de corrección, ya la distorsión que genera sobre la imagen es realmente importante, sobre todo si aumentamos el valor del Radio.

8.7.6. Desenfoque de superficie

Este modelo de desenfoque respecta los bordes de la imagen y aplicando el efecto sobre el resto. El resulta suele mantener cierta fidelidad con el original por lo que podemos utilizarlo tanto para corregir ciertos defectos como para dar rienda suelta a nuestra imaginación. El valor de Umbral tomo como referencia el tono de cada píxel para determinar el límite entre aquellos píxeles que serán respetados y los que se les aplicarán el efecto de desenfoque.

8.7.7. Desenfoque gaussiano

Este filtro produce un desenfoque general con la posibilidad de controlar el resultado mediante la configuración del radio del efecto en píxeles. Debe tener en cuenta que mientras mayor sea este radio, en menor grado se mantendrá el aspecto original de la imagen. Observe la figura 8.29 en la que se ha aplicado un valor 2 para este parámetro.

Figura 8.29. Desenfoque gaussiano con radio 2.

8.7.8. Desenfoque radial

Este filtro no permite ningún tipo de previsualización y es uno de los más lentos de aplicar. Por este motivo, le aconsejamos que para hacer tus pruebas selecciones un área reducida de la imagen. A primera vista, el cuadro de diálogo asociado al filtro Desenfoque radial, observe la figura 8.30, parece algo confuso pero no se preocupe, a continuación describimos para qué se utilizan cada una de sus opciones:

- Cantidad: Este control permite definir el nivel de desenfoque, de la misma manera que ocurría en los filtros anteriores.
- Método: Determina el efecto que deseamos generar. La opción Giro provoca una sensación de movimiento circular; en cambio Zoom genera un efecto de alejamiento.
- Calidad: Como imagina, las tres opciones incluidas en esta sección establecen el aspecto del resultado final. A mayor calidad, mayor lentitud y mejores resultados.

Figura 8.30. Cuadro de diálogo Desenfoque radial.

> *Truco: En el área llamada **Centro**, pulse con el ratón para desplazar el punto de referencia a la hora de generar el efecto final sobre la imagen.*

En la figura 8.31 puede ver el resultado después de aplicar este filtro utilizando la opción **Giro** y un valor de 60 para la variable **Cantidad**. Sorprendente, ¿no le parece? Y si pudieras verlo en color como lo estoy viendo yo en estos momentos seguro que tus pupilas se dilatarían aún más. ¡Qué espera para probarlo!

8.7.9. Desenfoque suavizado

Éste es sin duda uno de los modelos de desenfoque que mayor nivel control nos permite ejercer sobre el resultado del efecto.

En el cuadro de diálogo asociado a este filtro disponemos de las siguientes opciones:

- **Radio**: Ésta controla la distancia alrededor de la cual Photoshop buscará píxeles diferentes, es decir, define la amplitud del efecto de desenfoque.

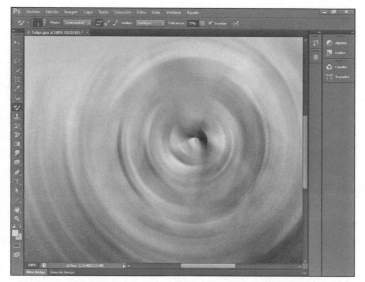

Figura 8.31. Desenfoque radial con la opción Giro seleccionada y un valor de 60 para el parámetro Cantidad.

- **Umbral:** Esta opción marca la diferencia entre los valores de los píxeles por encima de la cual los píxeles son eliminados. Es realmente en este valor donde se controla el resultado final de la aplicación del filtro.
- **Calidad:** Igual que ocurría en el filtro anterior, este parámetro determina el aspecto final de la imagen.
- **Modo:** Disponemos de tres opciones: Normal ejecuta el desenfoque sobre toda la imagen; Sólo borde da como resultado una imagen en blanco y negro en la que los contornos más iluminados aparecen en blanco y el resto, en color negro; y por último Superponer borde, que no es más que la combinación de los dos anteriores. En la figura 8.32 podemos ver un ejemplo en el que hemos utilizado esta última posibilidad.

8.7.10. Promediar

El último filtro de esta categoría no tiene posibilidad de configuración y su funcionamiento es muy sencillo, calcula el tono medio de una imagen o mejor, de una selección y rellena uniformemente toda la imagen con ese color.

Figura 8.32. Desenfoque suavizado con la opción
Superponer borde seleccionada.

Decimos mejor con una selección, porque de este modo podremos elegir con mayor precisión el tono utilizado por el efecto.

Hasta aquí la descripción del primer grupo de filtros, en el siguiente capítulo seguimos con el resto de categorías.

9

Filtros, parte II

9.1. Introducción

Sólo con los filtros incluidos en Photoshop tendríamos material suficiente para escribir cientos de páginas. En este caso, no nos extenderemos tanto pero si continuaremos en este capítulo con la descripción del resto de categorías disponibles.

9.2. Distorsionar

Todos los filtros de este grupo tienen como denominador común la deformación de la imagen original siguiendo generalmente una serie de modificadores geométricos. Podemos encontrar desde transformaciones tridimensionales hasta sorprendentes efectos de distorsión.

En la descripción de cada uno de los filtros que componen esta serie tampoco nos extenderemos demasiado, ya que la mayoría deja entrever sus resultados con tan sólo leer su nombre. Además, su uso está más limitado que en las colecciones anteriores y por otro lado, la cantidad de recursos que consumen es considerable.

Los filtros que componen esta categoría se encuentran divididos entre la Galería de filtros y el menú Filtro.

> **Nota:** *Como habrá podido observar, el número de filtros incluidos en Photoshop es más que notable y no todos ellos tienen la misma relevancia dentro de las posibilidades de este programa. Por este motivo y para no aburrirle con una infinidad de definiciones, trataremos con más detalle sólo aquellos grupos que resulten más útiles.*

9.2.1. Coordenadas polares

El filtro Coordenadas polares nos permite imitar el efecto que produce una imagen cuando se refleja sobre un espejo cóncavo (Rectangular a polar) o bien uno convexo (Polar a rectangular).

En la gran mayoría de los casos cualquier parecido con la imagen original es pura coincidencia, tal y como se puede ver en la figura 9.1.

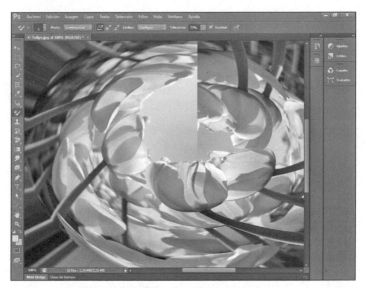

Figura 9.1. Filtro Coordenadas polares.

9.2.2. Cristal

Aplicar este filtro equivale a colocar delante de la imagen diferentes tipos de cristal que podemos seleccionar en la lista Textura que aparece en la figura 9.2.

Además es posible determinar la intensidad con la que deseamos aplicar el motivo del cristal elegido, e incluso invertir este efecto.

Puede modificar los valores de distorsión y suavizado del efecto utilizando los controles del mismo nombre, que encontrará entre las opciones de configuración de este filtro que sí se encuentra dentro de la Galería.

Figura 9.2. Texturas disponibles en el filtro Cristal.

9.2.3. Desplazar

Para aplicar el filtro Desplazar debe crear, en primer lugar, el mapa de desplazamiento, que no es más que un archivo con formato de Photoshop y acoplado (con una sola capa), a partir del que se generará la distorsión.

Una vez ajustadas las opciones del cuadro de diálogo Desplazar y después de hacer clic sobre **OK**, aparecerá un cuadro de diálogo que nos permite seleccionar el archivo de Photoshop que contiene el mapa de desplazamiento que deseamos utilizar.

9.2.4. Encoger

El filtro Encoger crea un efecto de hundimiento o de abultamiento sobre la imagen, partiendo desde el centro de la misma. Si el valor del parámetro Cantidad es positivo, se produce un hundimiento más pronunciado mientras mayor sea éste. Si utilizamos valores negativos, el efecto entonces será justo el contrario.

En la figura 9.3 puede ver el resultado después de utilizar los valores máximos para las dos posibilidades.

Figura 9.3. Encoger.

9.2.5. Esferizar

El filtro Esferizar aplica sobre la imagen un efecto tridimensional que consiste en la elevación de una forma circular que parte desde el centro de la imagen. Es posible invertir los resultados de este efecto utilizando para ello valores negativos en el parámetro Cantidad.

9.2.6. Molinete

La distorsión genera un giro sobre la imagen, tomando como eje el centro de la misma. Este giro puede ser tanto a la izquierda como a la derecha en función de si el valor del ángulo es positivo o negativo. En la figura 9.4 puede ver un ejemplo en el que se ha aplicado este efecto usando el máximo valor positivo.

> **Truco:** *Recuerde que en todos los cuadros de diálogo asociados a cada filtro, puedes utilizar la tecla* **Alt** *para convertir el botón* **Cancelar** *en* **Restaurar** *y de este modo recuperar los ajustes por defecto para el filtro.*

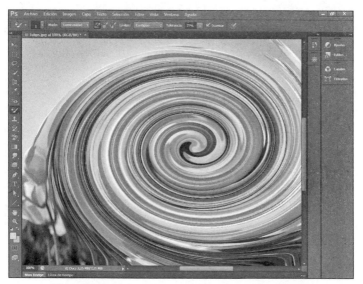

Figura 9.4. Molinete con un ángulo de 999 grados.

9.2.7. Onda

En este caso también es fácil intuir el resultado de aplicar este filtro sobre nuestra imagen. Aunque tras ver el cuadro de diálogo asociado a este filtro, mostrado en la figura 9.5, la cosa no parece tan sencilla, ¿no cree? Como resultado de utilizar filtro Onda, se generan sobre la imagen una serie de ondulaciones que podemos controlar modificando los parámetros que aparecen en su cuadro de diálogo:

- **Número de generadores:** Define el número de ondulaciones que se aplicarán sobre la imagen para crear el efecto.
- **Longitud:** Este parámetro controla el tamaño vertical máximo de la onda.
- **Amplitud:** Este parámetro también nos permite controlar las dimensiones máximas de la onda pero, en este caso, horizontalmente.
- **Escala:** Estos porcentajes definen la proporción de los dos parámetros anteriores sobre el tamaño total de la imagen.
- **Tipo:** Define el modelo de onda desde la más suave (sinusoidal) hasta la más geométrica (cuadrado).

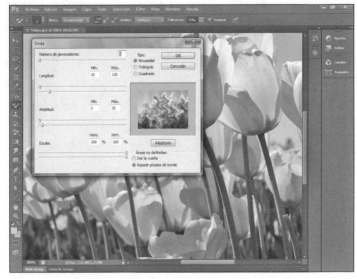

Figura 9.5. Cuadro de diálogo Onda.

*Truco: Si lo que pretende es crear un efecto psicodélico, puede seleccionar el botón **Aleatorio** tantas veces como necesite, hasta que aparezca en la vista preliminar el resultado que más le guste.*

9.2.8. Ondas marinas

Después de aplicar el filtro Ondas marinas sobre una imagen parecerá que está bajo el agua. Sus dos opciones controlan el tamaño de la onda y su intensidad. Vea en la figura 9.6 el curioso efecto creado por este filtro sobre nuestra imagen de ejemplo.

Tanto este filtro como el siguiente se encuentran disponibles desde la Galería de filtros.

9.2.9. Resplandor difuso

Ilumina de forma general la imagen pero acentuando este efecto sobre las zonas más claras de la misma. Además, añade una gran cantidad de ruido blanco creando un curioso efecto de distorsión.

Figura 9.6. Ondas marinas.

9.2.10. Rizo

Otro efecto acuático, aunque en esta ocasión compone una serie de ondas sobre la imagen, dando la impresión de estar sumergida bajo las cristalinas aguas de una paradisíaca playa tropical.

La verdad es que con esta definición a uno le entran ganas de aplicarse este filtro..., por si acaso.

9.2.11. Zigzag

Seguro que ha visto Parque Jurásico. ¡Quién no! ¿Recuerda el efecto sobre el pequeño charco de agua cuando se acercaba el malvado Tiranosaurius Rex? Esas premonitorias ondas concéntricas son las que podemos generar sobre una imagen si utilizamos este filtro.

La variable Cantidad define el alcance de las ondas mientras que la opción Crestas controla el efecto de relieve de las mismas.

En la figura 9.7 puede ver un ejemplo.

Figura 9.7. Filtro Zigzag.

9.3. Enfocar

Como podrá imaginar, los efectos generados por este conjunto de filtros sobre una imagen son justo los contrarios a los que hemos visto con los filtros de **Desenfoque** tratados anteriormente. De hecho, en la mayoría de las ocasiones se utilizar para reducir un exceso de desenfoque. El principio básico de estos filtros se fundamenta en el aumento del contraste teniendo en cuenta las características de cada píxel y los píxeles que le rodean.

Recuerde que puedes aplicar cualquier filtro a una zona restringida de la imagen con tan sólo definir previamente un área de selección.

En la figura 9.8 puede observar cómo hemos utilizado el filtro **Estilográfica** sobre una selección realizada en el centro de la imagen.

9.3.1. Enfocar y Enfocar más

Después de lo dicho hasta ahora, la función de estos dos filtros no creo que necesite demasiada explicación.

Figura 9.8. Filtro aplicado sobre una selección.

En cualquier caso, comentaremos que sirven para aumentar la luminosidad de la imagen, incrementando el contraste de los píxeles adyacentes y por lo tanto acentuando su nitidez.

Enfocar más cumple el mismo cometido, salvo que el efecto resulta tres o cuatro veces más intenso que en el caso de Enfocar.

9.3.2. Enfocar bordes

El filtro Enfocar bordes tiene el mismo efecto que los filtros anteriores, aunque de forma mucho más localizada. Este filtro busca aquellas zonas de la imagen en las que existen grandes diferencias de brillo y contraste y aplica el enfoque sobre ellas.

Generalmente estas zonas suelen ser los bordes de objetos, consiguiendo un resultado mucho más coherente que usando Enfocar y Enfocar más. Este filtro, al igual que los dos anteriores, no tiene ningún tipo de cuadro de diálogo que permita modificar sus parámetros.

> *Truco: No olvide utilizar la combinación de teclas **Control-F** para aplicar de nuevo el último filtro utilizado.*

9.3.3. Enfoque suavizado

En este caso tendremos un control total sobre el proceso de enfoque, sobre todo si activamos el botón de opción Avanzado. En ese momento el aspecto del cuadro de diálogo se transforma y aparecen tres pestañas donde podremos configurar hasta el más mínimo detalle. La figura 9.9 muestra el aspecto de este cuadro de diálogo.

Figura 9.9. Cuadro de diálogo Enfoque suavizado en modo avanzado.

> **Nota:** *No tenga ningún miedo a la hora cambiar valores para conocer los límites de cada parámetro. Esta es una buena práctica para conocer mejor las posibilidades de los filtros.*

9.3.4. Máscara de enfoque

El último filtro de esta serie es el que nos ofrece más posibilidades y, sobre todo, más control sobre el resultado final. Para seleccionar las zonas sobre las que tendrá efecto el filtro, sigue el mismo principio que en el caso anterior, es decir, busca las zonas más iluminadas y sobre ellas aplica el enfoque.

Dentro del cuadro de diálogo Máscara de enfoque que muestra la figura 9.10, podemos encontrar estos parámetros:

- **Cantidad:** Controla la intensidad del enfoque; mientras mayor sea este valor, más exagerado será el efecto sobre la imagen.
- **Radio:** Determina la amplitud del área alrededor de la cual se aplicará el enfoque.
- **Umbral:** Este parámetro define la diferencia que debe existir entre los píxeles para que se les aplique el efecto de enfoque.

Figura 9.10. Cuadro de diálogo Máscara de enfoque.

Advertencia: El valor de las variables Radio y Umbral del filtro Máscara de enfoque debe ser proporcional a la resolución de la imagen. Es decir, a mayor resolución más amplios deben ser los valores de Radio y de Umbral.

9.4. Estilizar

No sabemos muy bien cómo definir este conjunto de filtros, puesto que creemos que no existe un claro denominador común entre ellos. Algunos permiten aplicar sorprendentes transformaciones a nuestras imágenes y otros no son tan espectaculares pero sí bastante útiles en el ámbito del retoque fotográfico.

9.4.1. Azulejos

Divide la imagen en cuadrados a los cuales se les aplica un determinado desplazamiento aleatorio, creando un efecto de rompecabezas desordenado.

La opción **Número de azulejos** define el número de divisiones horizontales y, por lo tanto, el tamaño de los recortes. Además, con la opción **Desplazamiento máximo** podemos ajustar la separación máxima entre los recortes. Este porcentaje se calcula tomando como referencia el tamaño del azulejo.

Otro de los aspectos que podemos controlar es el relleno de los espacios resultantes entre los azulejos. Dispones de cuatro posibilidades:

- Utilizar el color de fondo activo en el selector de la caja de herramientas.
- Utilizar el color frontal o bien de primer plano activo en el selector.
- La opción **Imagen invertida** nos muestra el negativo de la imagen original. En la figura 9.11 puede ver un ejemplo en el que se ha utilizado esta propiedad.
- La opción **Imagen sin alterar** en contra de lo que parece significar genera un resultado algo extraño.

Figura 9.11. Azulejos con la opción Imagen invertida seleccionada.

9.4.2. Bordes resplandecientes

En imágenes con un alto nivel de contraste entre el color de fondo y el motivo, genera una imagen final realmente atractiva. Al aplicar el filtro Bordes resplandecientes, aparecen una serie de transparencias y efectos luminosos muy espectaculares. En la figura 9.12 puede observar nuestra imagen de ejemplo después de utilizar este filtro sobre ella. Lamentablemente está en escala de grises, así que lo mejor será que aplique este filtro sobre una imagen de similares características, si quiere conocer más fielmente sus resultados. El filtro Borde resplandecientes es el único de la categoría Estilizar que se encuentran disponible desde la Galería de filtros.

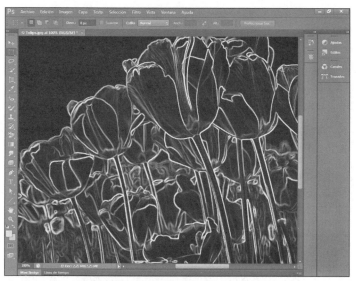

Figura 9.12. Bordes resplandecientes.

El modo de funcionamiento de este filtro se basa en la localización de las zonas más iluminadas de la imagen, normalmente los bordes, aplicándoles una sobreiluminación que simula el efecto de los rótulos de neón, oscureciendo el resto de la imagen para mejorar el resultado.

La opción Anchura de borde controla la amplitud de los bordes, y Brillo de borde define su intensidad. El suavizado atenúa los efectos del filtro, sacrificando gran parte de su espectacularidad.

> **Nota:** *Mientras mayores sean los valores de* **Anchura** *y* **Brillo**, *menor fidelidad mantendrá el resultado final con respecto a la imagen original.*

9.4.3. Difusión

Este filtro crea un efecto puntillista sobre la imagen, es decir, se utiliza un motivo granulado para definir los contrastes de la misma. En realidad se trata de añadir un cierto porcentaje de ruido, tomando como referencia los colores originales de la imagen.

Además del modo **Normal**, podemos elegir **Sólo oscurecer** para sustituir los píxeles más oscuros por otros más claros, o la opción **Sólo aclarar** que ejerce el efecto contrario.

9.4.4. Extrusión

El filtro Extrusión genera un efecto tridimensional sobre la imagen utilizando cubos o pirámides. Puesto que no está disponible una vista preliminar de este filtro, es necesario recurrir a la paleta **Deshacer** para comprobar distintas configuraciones del mismo.

En el cuadro de diálogo **Extrusión**, además de elegir el cuerpo que se va a usar para crear el efecto, podremos definir el tamaño del mismo y su profundidad, favoreciendo éste último la sensación tridimensional. Para la altura de los cuerpos puedes elegir entre **Al azar** o **Según brillo** que toma como referencia la luminosidad de cada área.

Si activamos la casilla **Caras frontales sólidas**, cada cubo o pirámide tendrá un solo color, en lugar de utilizar el motivo de la propia imagen.

Esta opción sólo es posible usarla si seleccionamos **Cubos** como cuerpo para la extrusión, ya que las pirámides siempre aparecen bajo un color sólido.

9.4.5. Hallar bordes

El filtro Hallar bordes genera una especie de negativo de la imagen, localizando las zonas de la imagen con más alto contraste (bordes) e invirtiendo sus colores.

El único inconveniente es que no ofrece ninguna posibilidad de configuración.

9.4.6. Relieve

No hay que pensar demasiado para intuir los efectos de este filtro, se trata de crear un relieve sobre piedra de la propia imagen. Las opciones de este filtro nos permiten definir la altura del relieve, el ángulo y el porcentaje de cantidad.

En la figura 9.13 puede ver un ejemplo en el que hemos aplicado este efecto utilizando las opciones por defecto.

Figura 9.13. Relieve.

Truco: En la casilla Ángulo podemos insertar valores negativos para crear un efecto de acuñado.

9.4.7. Solarizar

El filtro Solarizar crea una especie de negativo sobre la imagen oscureciendo notablemente las zonas más claras de ella.

9.4.8. Trazar contorno

Utiliza los colores básicos del modelo CMYK para dibujar aquellas zonas de la imagen en las que existe un importante cambio brusco de luminosidad, normalmente los bordes. El resultado es la silueta del motivo original de la imagen sobre un fondo blanco. En el cuadro de diálogo asociado a este filtro podemos determinar el valor que servirá de referencia para seleccionar las zonas iluminadas de la imagen.

9.4.9. Viento

Por último el filtro Viento. Éste aplica un desplazamiento horizontal sobre los píxeles que componen la imagen, simulando el efecto meteorológico del mismo nombre. Para determinar la intensidad del efecto tenemos tres posibilidades, de más suave a más fuerte: Viento, Vendaval y Trémulo. Además podemos elegir la dirección en la que se producirá el desplazamiento. Ahora tomemos un respiro, ya que el siguiente capítulo, también dedicado a los filtros, nos seguirá deparando un buen número de sorpresas.

9.5. Interpretar

Bajo este nombre se engloban diferentes filtros que en su mayoría utilizan los colores y los motivos de la imagen original para crear texturas, formas aleatorias y efectos 3D. En general, intenta imitar algunos efectos reales como luces y grabados.

9.5.1. Destello

Imita el efecto que produce una fuente de luz intensa como, por ejemplo, un foco o bien un flash sobre una imagen. En la figura 9.14 puede ver un ejemplo donde hemos aplicado este filtro sobre nuestra imagen de muestra.

Dentro del cuadro de diálogo Destello nos encontramos con varias posibilidades de configuración. En primer lugar, el control Brillo nos permite determinar la intensidad del destello. Además, en la vista preliminar que se encuentra debajo, podremos modificar la posición del destello con tan sólo hacer clic y arrastrar la pequeña cruz que lo representa.

Por último, podemos elegir entre tres modelos diferentes de lentes para modificar el aspecto del destello.

> **Nota:** *No olvide utilizar la tecla* **Alt** *si desea restaurar los parámetros por defecto de cualquier filtro.*

Figura 9.14. Destello.

9.5.2. Efectos de iluminación

Para describir el funcionamiento del filtro Efectos de iluminación y todas sus posibilidades, necesitaríamos un capítulo entero.

La verdad es que resultan sorprendentes los efectos y las innumerables configuraciones que podemos aplicar sobre él. Para hacernos una idea, podemos observar en la figura 9.15 como se transforma la interfaz de Photoshop después de seleccionar el filtro Efectos de iluminación.

> *Advertencia: Photoshop es muy exigente con alguna de sus características más complejas y el filtro* Efectos de iluminación *es una de ellas. Si no dispone de una tarjeta gráfica lo suficientemente potente que permita activar la opción* Usar procesador gráfico *en las preferencias del programa no será posible utilizar el filtro* Efectos de iluminación.

Entre las posibilidades del filtro Efectos de iluminación destacamos la opción de seleccionar numerosas fuentes luminosas, modificar su intensidad, su brillo, etcétera. Para empezar, observe la parte superior de la interfaz y despliegue la lista **Ajustes preestablecidos**. En ella encontrará un buen número de combinaciones listas para ser utilizadas. El nombre de la mayoría de ellas es lo suficientemente descriptivo como para intuir su resultado pero nuestra recomendación es que las pruebe.

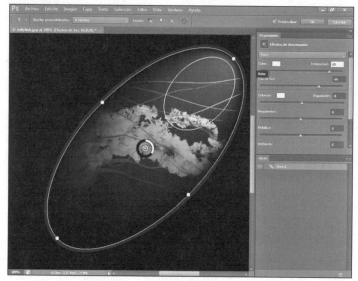

Figura 9.15. Cuadro de diálogo Efectos de iluminación.

A la derecha de la lista **Ajustes preestablecidos** aparecen tres iconos, y cada uno de ellos representa un tipo de luz: foco, luz puntual o luz infinita.

Podemos añadir varios puntos de luz a nuestra imagen de cualquiera de los modelos disponibles.

Cada vez que hagamos esto se añadirá en la ficha **Luces**, situada en la esquina inferior derecha, una nueva entrada que permitirá identificar cada uno de los puntos de luz situados sobre la imagen.

Para modificar las propiedades de cualquiera de ellos, basta con seleccionarlo en la ficha **Luces** y cambiar el valor que desee en la ficha **Propiedades**.

Si lo desea puede modificar incluso el tipo de luz en la lista desplegable que muestra la figura 9.16. También puede utilizar el icono representado por un pequeño ojo para apagar o encender cualquiera de los focos.

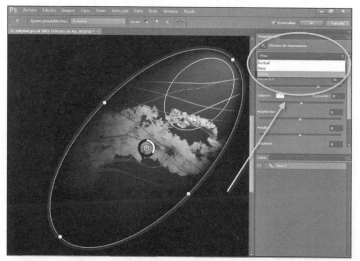

Figura 9.16. Cambiar el tipo de foco en la ficha Propiedades.

> *Truco: Puede cambiar el nombre por defecto del foco en la ficha **Luces** por uno más descriptivo con tan sólo hacer doble clic sobre su nombre actual.*

Además de todas las opciones que acabamos de ver, la vista preliminar situada a la izquierda también permite realizar numerosas modificaciones sobre el resultado final del efecto. Por ejemplo, los puntos de luz activos están representados por pequeños círculos blancos. Para desplazarlos tan sólo tiene que hacer clic sobre ellos y arrastrarlos hasta el lugar de la imagen que desee. Si lo que necesita es cambiar la intensidad de la luz, arrastre sobre el círculo concéntrico situado alrededor, y que hemos resaltado en la figura 9.17 o utilice el regulador **Intensidad** en el panel **Propiedades**.

> *Nota: Para eliminar un punto de luz, selecciónelo en la ficha **Luces** y a continuación, haga clic en el pequeño cubo de basura situado en la parte inferior derecha.*

Observe en la figura 9.18 como tras seleccionar un punto de luz, aparece a su alrededor una elipse o círculo, según el tipo de foco seleccionado. El área descrita representa el ámbito lumínico del punto de luz y puede transformarla arrastrando los pequeños tiradores (círculos blancos) situados sobre ella si se trata de un punto de luz tipo foco, o hacer clic y arrastrar directamente el círculo si se trata de una luz puntual o luz infinita.

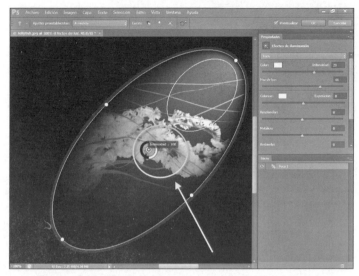

Figura 9.17. Círculo regulador de la intensidad de la luz.

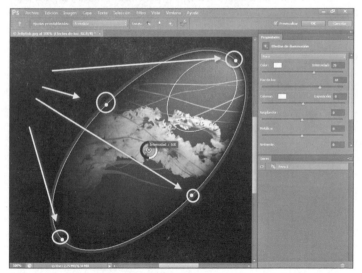

Figura 9.18. Ámbito del foco seleccionado.

Photoshop utiliza unos pequeños conos para identificar los focos que están presentes en la imagen pero que no están seleccionados en ese momento. En el caso de las luces puntuales o infinitas, el símbolo es un círculo con una cruz en su interior.

El panel **Propiedades** presenta diferentes reguladores que permitirán controlar el aspecto y el comportamiento de las luces situadas sobre la imagen.

A continuación vamos a describir las que consideramos más importantes:

- **Tipo de luz**: Esta lista desplegable contiene los tres modelos de luces disponibles: foco, luz puntual y luz infinita. Puede cambiar en cualquier momento el tipo de luz pero compruebe en primer lugar que se encuentra seleccionado el elemento que desea modificar en el panel **Luces**.

- **Intensidad**: Determina la cantidad de luz aplicada sobre el punto seleccionado.

- **Color**: Por defecto el color de la fuente de luz es blanco, pero se puede cambiar con tan sólo hacer clic en esta opción que da acceso al Selector de color.

- **Resplandor**: Modifica la opacidad de la imagen, mientras más a la izquierda más oscura y viceversa.

- **Ambiente**: Este regulador permite modificar la intensidad de la luz ambiental de la imagen, aclarándola u oscureciéndola en función de si acercamos el control hacia un extremo u otro.

- **Textura**: Al activar esta opción se crea un efecto de relieve sobre la imagen. Seleccione en la lista asociada cualquiera de los canales del modelo RVA y utilice el control **Altura** para modificar la intensidad del relieve. En la figura 9.19 puede ver un ejemplo.

9.5.3. Nubes

Después del filtro anterior, la verdad es que éste nos parecerá una niñería. Pero bueno, debemos ser fuertes y reponernos rápidamente.

El efecto **Nubes** no permite ningún tipo de configuración y una vez aplicado, obtendremos como resultado una textura que simula un cielo parcialmente nublado. Los colores de las texturas son el resultado de mezclar los colores originales de la imagen.

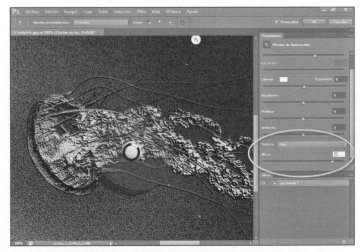

Figura 9.19. Efecto de iluminación con textura.

9.5.4. Nubes de diferencia

En ese caso, no se pierde del todo el aspecto original de la imagen, ya que el efecto de nubes se aplica sobre una capa distinta, y a la hora de trabajar se hace con la imagen original utilizando el modo de fusión denominado **Diferencia**.

La figura 9.20 muestra el aspecto de nuestra imagen de ejemplo después de aplicarle este filtro. Personalmente el resultado me parece bastante atractivo, aunque en escala de grises no es posible apreciarlo del todo.

9.6. Pixelizar

El modelo de trabajo seguido por los filtros de este conjunto se basa en la agrupación de píxeles con características similares. Así, es posible crear diferentes efectos tomando estos grupos de píxeles como referencia.

9.6.1. Cristalizar

El filtro Cristalizar utiliza las agrupaciones de píxeles que hemos comentado en el párrafo anterior y las transforma en un polígono relleno de un color sólido, calculado teniendo en cuenta los colores de estos píxeles. La opción **Tamaño de celda** define la proporción de los polígonos. Mientras mayor sea, menor será entonces el grado de fidelidad con la imagen original.

Figura 9.20. Nubes de diferencia.

9.6.2. Fragmento

Este filtro simula el efecto de imagen movida, tal como se aprecia en la figura 9.21.

Para lograr este resultado se crean varias copias (concretamente cuatro) de aquellos grupos de píxeles similares, para luego separarlas y componer la imagen, consiguiendo un curioso desenlace.

9.6.3. Grabado

El efecto recuerda a un canal mal sintonizado de televisión. Se consigue añadiendo de forma aleatoria una serie de puntos, en su mayoría blancos y negros, siguiendo alguna de las posibles distribuciones de la lista desplegable del cuadro de diálogo **Grabado**.

Figura 9.21. Fragmento.

9.6.4. Mosaico

¿Recuerda el efecto producido por el filtro Cristalizar situado dentro de esta misma serie? Pues el filtro Mosaico genera prácticamente el mismo resultado salvo que, en este caso, se usan cuadrados en lugar de polígonos.

De nuevo, la opción **Tamaño de celda** nos permite definir la proporción de los cuadrados. Mientras mayor sea este valor, más se alejará el resultado final del aspecto original de la imagen.

La figura 9.22 muestra el resultado después de usar un tamaño de celda 10 sobre nuestra imagen de ejemplo.

9.6.5. Pinceladas

Este filtro no admite ningún tipo de configuración, y el resultado final es una imagen que parece haber sido pintada con bastos golpes de brocha.

En realidad, se produce una agrupación irregular de píxeles con características similares, tomando colores sólidos para su relleno.

Figura 9.22. Mosaico con un tamaño de celda 10.

9.6.6. Puntillista

Seguramente conocerá esta técnica empleada por algunos artistas para sus creaciones.

El filtro Puntillista intenta imitar el resultado de este modo de pintura.

Para conseguirlo, de nuevo se reorganizan los píxeles en grupos, tomando como referencia un color aleatorio de algún componente del mismo y entonces utilizando el color de fondo como relleno.

9.6.7. Semitono de color

Este filtro genera un efecto bastante psicodélico basado en el modo en que se componen las distintas tintas en los trabajos de imprenta.

De todas formas, los principios de este filtro engloban conceptos que aún no hemos tratado, por lo que simplemente te mostramos en la figura 9.23 el resultado que hemos obtenido después de aplicarlo utilizando las opciones por defecto del mismo.

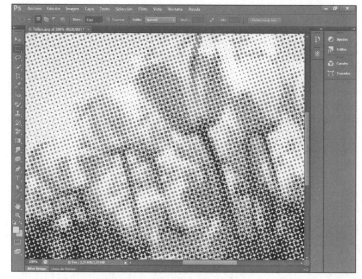

Figura 9.23. Semitono de color.

9.7. Ruido

Aplicar ruido a una imagen consiste básicamente en añadir de forma aleatoria píxeles de un color determinado, generalmente blanco.

Esta serie de filtros usa el ruido para realizar curiosas transformaciones sobre la imagen original.

9.7.1. Añadir ruido

Aplica una cierta cantidad de ruido sobre la imagen en función de los parámetros seleccionados en su cuadro de diálogo.
La primera de las opciones, Cantidad, nos permite determinar
la intensidad de ruido aplicado. A continuación podemos elegir entre dos modelos de distribución:

- Uniforme: El ruido se reparte de igual modo por toda
  la imagen.
- Gaussiano: En este caso, la distribución se realiza sólo
  a partir de ciertos puntos localizados de la imagen. La
  figura 9.24 muestra un ejemplo donde se ha usado una

cantidad de 34 y una distribución gaussiana. Activando la casilla Monocromático los píxeles que se añaden a la imagen son sólo blancos y negros.

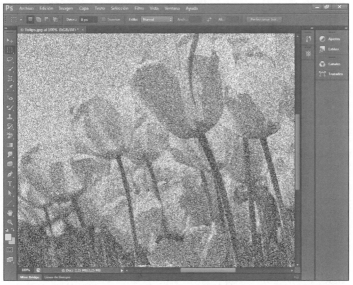

Figura 9.24. Añadir ruido utilizando la distribución gaussiana.

9.7.2. Destramar

Este filtro realiza justo el proceso contrario a los dos que hemos visto anteriormente, es decir, elimina el ruido. Para conseguirlo identifica aquellas zonas de la imagen en las que existe un mayor contraste de color y les aplica un cierto grado de suavizado.

Este filtro no admite configuración, para intensificar sus resultados puede aplicarlo repetidas veces con la combinación de teclas **Control-F**.

Advertencia: El filtro Destramar está pensado para eliminar pequeñas cantidades de ruido en imágenes deterioradas. Si la distorsión fuera demasiado intensa sería conveniente usar en primer lugar alguna opción de desenfoque. Esta combinación sería la secuencia lógica de trabajo en el tratamiento de fotografías antiguas.

9.7.3. Mediana

De nuevo nos encontramos ante un filtro que nos permite hacer pequeñas correcciones con respecto al ruido de una imagen. En este caso, el proceso se genera a partir de la localización de aquellos píxeles con un alto nivel de brillo sobre los que se aplica el efecto de suavizado.

La única de sus opciones es el radio, que determina la zona alrededor de los píxeles sobre la que se aplica el filtro. Si utilizamos un valor de radio alto podremos obtener resultados tan interesantes como el que muestra la figura 9.25, donde hemos utilizados valores altos para el parámetro Radio.

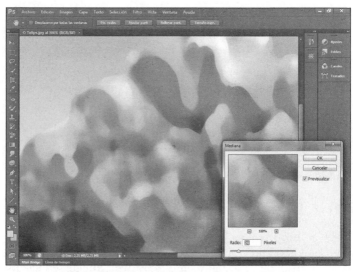

Figura 9.25. Mediana con valor alto de Radio.

> ***Truco:*** *Si trabaja normalmente en la creación de diseños destinados a proyectos multimedia, los resultados de aplicar este filtro varias veces sobre una misma imagen y crear una animación usando cada una de las etapas es muy sorprendente.*

9.7.4. Polvo y rascaduras

El filtro Polvo y rascaduras se utiliza mucho para el retoque de fotos antiguas o muy deterioradas. Al aplicarlo lograremos eliminar gran parte de los arañazos y ciertas deformaciones.

También puede utilizar la herramienta Pincel corrector en este tipo de trabajos.

Para cubrir estos defectos no existe una fórmula mágica, sino que deberá ir probando distintos valores para las opciones de **Radio** y **Umbral**, hasta encontrar el equilibrio adecuado.

9.8. Textura

Los filtros que incluye esta serie no aportan nada nuevo a todo lo que hemos visto, por lo que no vamos a detenernos en describirlos. Además, puede comprobar que los efectos que producen la mayoría de ellos son muy parecidos a los que ya hemos visto en algunos de los filtros descritos en el capítulo anterior y en éste.

Tanto este grupo como el siguiente se encuentran únicamente disponibles desde la Galería de filtros.

9.9. Trazos de pincel

Dentro de esta categoría encontramos una serie de filtros que utilizan los distintos modelos de pinceles incluidos en Photoshop, junto con efectos de tintas para recrear sobre nuestras imágenes algunas técnicas de pintura que son utilizadas habitualmente.

Los resultados obtenidos a partir de la aplicación de los filtros de este conjunto son realmente atractivos y vistosos.

9.9.1. Bordes acentuados

Este filtro localiza aquellas zonas de la imagen en las que se producen cambios bruscos de color, generalmente bordes, y las resalta.

Si utilizamos valores altos en el control de brillo, el color de estos bordes será prácticamente blanco y por el contrario, para valores reducidos de brillo, se produce un oscurecimiento de los bordes y de la imagen en general.

> **Nota:** Si la imagen sobre la que aplicamos el filtro tiene un fondo negro o muy oscuro, conseguiremos buenos resultados si usamos valores de brillo próximos a cero.

La figura 9.26 muestra un ejemplo donde se han usado los valores 1, 3 y 10 respectivamente para la anchura del borde, el brillo y el suavizado.

Figura 9.26. Bordes acentuados.

9.9.2. Contornos con tinta

El filtro Contornos con tinta genera una nueva imagen en la que se realza la luminosidad general del original. Para crear el efecto, se utilizan pequeños y finos trazos que acentúan las zonas más claras. En las opciones de este filtro podemos controlar el ancho de los trazos, su intensidad y la cantidad de luz aplicada sobre la imagen. Pero quizás echamos en falta una cuarta opción que nos permitiera suavizar algo el resultado.

> **Nota:** *Para obtener unos resultados óptimos con el filtro Contornos con tinta, sería conveniente aplicarle algún filtro de desenfoque al resultado final.*

9.9.3. Salpicaduras

Genera una distorsión importante de la imagen original. Para conseguirlo dibuja los grupos de píxeles similares imitando pulverizaciones intermitentes realizadas con un aerógrafo.

La opción **Radio** controla el tamaño de las pulverizaciones y como consecuencia de esto, la deformación final de la imagen. El control de suavizado nos permite atenuar el resultado final. En la figura 9.27 puede ver un ejemplo.

Figura 9.27. Salpicaduras.

9.9.4. Sombreado

El efecto que imita este filtro es el de aquellos dibujos realizados utilizando lápices de colores, y la verdad es que el resultado final reproduce con bastante exactitud esta técnica.

Con la opción **Longitud del trazo** controlamos la mayor o menor fidelidad del resultado con la imagen original. El control **Enfoque** aumenta o disminuye la luminosidad general de la imagen, mientras que la opción **Intensidad** define la dureza de los trazos.

9.9.5. Sumi-e

Con un nombre así, la verdad es que este efecto no podía hacer referencia a otra cosa que no fuera simular alguna técnica japonesa de pintura. Concretamente imita al dibujo realizado con finos pinceles sobre delicado papel de arroz. El resultado es una imagen que pierde todo su contraste, en favor de un suavizado general y una sustitución de las zonas más claras por sombras oscuras.

9.9.6. Trazos angulares

Este filtro imita el dibujo con lápices pero utilizando trazos diagonales, en un sentido para las zonas claras y el contrario para las oscuras. En imágenes sobre fondo oscuro, este efecto recrea una nueva imagen cuyo aspecto es realmente elegante. Entre las opciones de este filtro destaca Equilibrio de dirección, que permite incrementar la proporción de los trazos dibujados en uno u otro sentido. En la figura 9.28 puede observar un ejemplo de este filtro en el que se han utilizado los parámetros por defecto.

Figura 9.28. Trazos angulares.

9.9.7. Trazos con spray

Trazos con spray utiliza los distintos colores que forman la imagen original para crear un efecto de distorsión similar al que se produce al arrastrar un trapo húmedo sobre una superficie recién pintada.

Entre las opciones asociadas a este filtro podemos modificar la longitud de los trazos, su radio así como la dirección de los mismos.

9.9.8. Trazos oscuros

En general, el resultado de este filtro provoca un intenso suavizado y casi la pérdida total de líneas dominantes en la imagen original. Para conseguirlo, sustituye las zonas más oscuras de la imagen por líneas negras y las zonas más claras, por trazos blancos deliberadamente más amplios.

En las opciones podemos decidir sobre qué zonas queremos resaltar más el efecto (Equilibrio) y qué cantidad tanto de color blanco como de color negro queremos aplicar al resultado final. La figura 9.29 muestra un ejemplo en el que se han utilizado valores 4, 10 y 2.

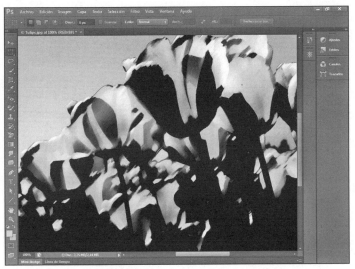

Figura 9.29. Trazos oscuros con valores 4, 10 y 2.

9.10. Vídeo

Esta categoría contempla tan sólo dos opciones enfocadas principalmente a corregir defectos de imágenes obtenidas a partir de capturas en movimiento.

Las opciones son las siguientes:

- La primera de ellas, **Colores NTSC**, reduce la gama de colores, adaptando la imagen a las necesidades de reproducción de un medio como la televisión.
- **Desentrelazar** suaviza las imágenes con el objetivo principal de reducir el efecto de movimiento.

9.11. Otros

De todos los filtros incluidos dentro de esta última categoría, quizás el más interesantes sea **A medida**. Con el que podremos crear nuestro propio filtro introduciendo valores en el cuadro de diálogo que aparece al seleccionarlo y que puede ver en la figura 9.30. Este proceso tiene su base matemática que calcula el brillo de cada píxel, tomando como referencia el valor de los píxeles que le rodean.

Figura 9.30. Cuadro de diálogo A medida.

El resto de los filtros incluidos en esta sección no aporta nada demasiado novedoso, y como imagino que estará un poco cansado de tanto filtro, lo dejaremos aquí. De todos modos, con todo lo visto en este capítulo y el anterior tendríamos una buena base de conocimiento para aplicarla en todas sus creaciones.

> *Nota: Una última anotación, los filtros **Mínimo** y **Máximo** resultan muy útiles para realizar modificaciones sobre máscaras. **Mínimo** expande las zonas en negro y **Máximo** hace justo lo contrario, extiende las áreas en blanco.*

9.12. Filtros y utilidades en Adobe Photoshop MarketPlace

Si desea explorar nuevas posibilidades para Photoshop no dude es utilizar el comando Filtro>Explorar filtros en línea. Con esta acción se conectará a la tienda en línea que Adobe ha puesto a disposición de todos los usuarios de Photoshop y cuyo aspecto puede comprobar en la figura 9.31. En ella encontrara filtros, utilidades, interesantes ofertas y mucho más.

Figura 9.31. Adobe Photoshop MarketPlace.

9.13. Cómo firmar digitalmente nuestras imágenes, marcas de agua

Las marcas de agua en una imagen contienen información sobre el autor de dicha imagen, algo así como el copyright.

Photoshop incluye una versión de prueba de la utilidad Digimarc, la cual nos permite tanto leer como incluir marcas de agua en una imagen. No olvidemos que las imágenes también tienen derechos de autor y por lo tanto, utilizarlas sin el permiso de su creador está contemplado como delito.

9.13.1. Cómo registrar la versión de Digimarc

Si estás interesado en utilizar este plugin para incluir marcas de agua en tus creaciones, seleccione la opción Incrustar marca de agua y en el cuadro de diálogo que aparece, haga clic sobre el botón Personalizar. Aparece el cuadro de diálogo que muestra la figura 9.32 en el que podrá encontrar un botón denominado Información; haga clic sobre él y accederás a la página Web del creador de este plugin. El resto seguro que lo conoces...

Figura 9.32. Incrustar marca de agua con Digimarc.

9.13.2. Leer una marca de agua

Conviene comprobar antes de utilizar una imagen que no tenga derechos de autor, ya que si no lo hace y la usas estará infringiendo la ley.

La segunda de las opciones del plugin Digimarc es Leer marca de agua. Una vez seleccionada esta opción aparecerá un cuadro de diálogo con información sobre si la imagen tiene o no asociada una marca de agua.

Transformaciones

10.1. Introducción

Además de los filtros, Photoshop incluye una serie de comandos de transformación que permitirán conseguir resultados realmente espectaculares.

La mayoría de estos comandos se encuentran englobados en la parte superior del menú Filtro como podemos ver en la figura 10.1.

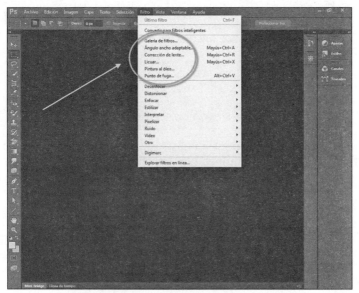

Figura 10.1. Comandos de transformación.

10.2. Licuar

El comando **Licuar** dispone de su propia interfaz tal como muestra la figura 10.2. En ella encontramos herramientas y otros elementos de configuración que permitirán obtener un resultado realmente espectacular.

Figura 10.2. Interfaz del comando Licuar.

> **Nota:** *La imagen que aparece en el área de trabajo del comando* **Licuar** *corresponde al contenido de la capa activa. Del mismo modo, podemos seleccionar previamente una zona de la imagen para mostrar únicamente ese área.*

Los medios que pone a nuestro alcance el comando **Licuar** permiten realizar innumerables transformaciones sobre la imagen de forma localizada. La manera de hacerlo no es otra que utilizar las herramientas que aparecen en su margen superior izquierdo (recuerde que para conocer el nombre de cualquiera de ellas es suficiente con mantener el cursor unos segundos sobre la herramienta) y que puede ver en la figura 10.3:

- **Deformar hacia adelante:** Arrastra los píxeles en la misma dirección que movamos el pincel.
- **Reconstruir:** Devuelve el estado original de la zona sobre la que apliquemos la herramienta.

Figura 10.3. Herramientas del comando Licuar.

- **Molinete:** Cuando utilice esta herramienta, mantenga pulsado el botón izquierdo sobre la imagen. En ese momento, se aplica un efecto de giro a la izquierda sobre los píxeles situados dentro del área del pincel. El resultado se hace más acusado mientras más tiempo mantenga pulsado el botón izquierdo del ratón. Puede utilizar la tecla **Alt** para cambiar el sentido del giro.

- **Desinflar:** Genera una sensación de hundimiento a partir de un desplazamiento de los píxeles hacia el centro del área descrita por el pincel.

- **Inflar:** Provoca el efecto contrario al conseguido con la herramienta Desinflar.

- **Empujar a la izquierda:** Aplica un desplazamiento perpendicular al movimiento del pincel. Por defecto, cuando movemos el pincel hacia la izquierda, el desplazamiento se produce de arriba abajo y al revés cuando el desplazamiento es hacia la derecha. Del mismo modo, es posible modificar el sentido pulsando la tecla **Alt** mientras arrastramos.

- **Reflejar:** Copia dentro del área del pincel la zona perpendicular a ésta. Si el desplazamiento es hacia la izquierda, copiará los píxeles situados encima y al contrario si movemos el pincel hacia la derecha. También puede modificar este comportamiento utilizando la tecla **Alt**.

- **Turbulencia:** Además de arrastrar los píxeles, les aplica cierto grado de distorsión, simulando un efecto de ondas marinas.
- **Congelar máscara:** Establece áreas sobre las que no tendrá efecto ninguna de las herramientas lo cual evitará que las modifiquemos de manera accidental. El grado de protección está directamente relacionado con el porcentaje de presión; por ejemplo, si aplicamos una herramienta de transformación sobre un área congelada con un valor de presión 50, la distorsión será justo la mitad que la conseguida sobre un área no congelada.
- **Descongelar máscara:** Restaura las zonas congeladas.

Estas son las herramientas disponibles para transformar el aspecto de cualquier zona de una imagen; en la figura 10.4 podemos ver un ejemplo. Pero antes de entrar en la descripción de sus posibilidades es necesario definir el concepto de "Malla". Para activarla, seleccione la casilla de verificación **Mostrar Malla** de la sección **Opciones visualización** y al instante aparecerá sobre la imagen una cuadrícula como muestra la figura 10.5. Si después de hacer esto aplica alguna transformación sobre la imagen, comprobará que esta cuadrícula refleja en sus celdas el sentido del efecto. Por lo tanto, podemos decir que una malla nos permitirá ver de forma mucho más precisa el resultado de las distorsiones.

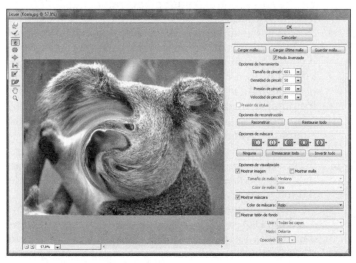

Figura 10.4. Resultado de una distorsión sencilla.

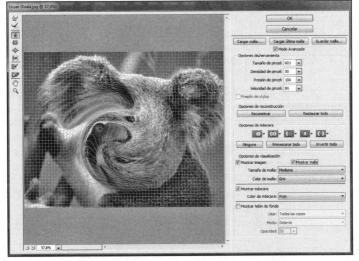

Figura 10.5. Malla de transformación.

10.2.1. Opciones de configuración

Para que no tenga ningún problema a la hora de utilizar las opciones de configuración del cuadro de diálogo **Licuar**, a continuación describimos el significado de las más importantes:

- **Tamaño de pincel:** Define el diámetro del pincel en píxeles y, por lo tanto, el área de acción a la hora de utilizar cualquiera de las herramientas.
- **Densidad de pincel:** El efecto del pincel se distribuye desde el centro hacia los extremos. Este valor permite configurar el radio de acción de la transformación en relación al tamaño del pincel.
- **Presión de pincel:** Controla la velocidad a la cual se genera el efecto cuando arrastramos sobre la imagen. Puede parecer poco importante este valor pero es fundamental para detener la transformación justo en el momento que deseemos.

- **Velocidad de pincel:** Este valor también hace referencia a la velocidad que se aplica el efecto sobre la imagen, pero en este caso, cuando mantenemos la herramienta estática en un punto.
- **Vibración de turbulencia:** Aumenta o disminuye la cantidad de esta transformación.
- **Presión de stylus:** Esta casilla de verificación solamente estará disponible si utilizamos una tableta digitalizadora y, en este caso, permite ajustar el comportamiento del lápiz.
- **Modo:** Determina el comportamiento y la transición entre zonas congeladas y no congeladas.
- **Reconstruir:** Devuelve la imagen a un estado similar al original. Tan sólo está disponible para los modos Rígido, Inflexible, Redondeado y Suelto.
- **Restaurar todo:** En esta ocasión sí recuperamos por completo el aspecto original de la imagen.
- **Mostrar imagen:** Si tiene activa la malla de transformación, puede activar o bien desactivar la previsualización de la imagen con esta casilla de verificación.
- **Tamaño de malla:** Define la amplitud en la división de la malla de transformación.
- **Color de malla:** Elija aquí el color de las líneas que representa la malla de transformación.

Una vez terminadas las modificaciones sobre la imagen, simplemente tendrá que hacer clic en el botón **OK** y entonces Photoshop aplicará los cambios como si de un filtro más se tratase.

Diviértase un poco con las herramientas disponibles en el margen izquierdo y compruebe hasta donde puede llegar con este comando.

10.3. Pintura al óleo

En un principio podríamos pensar que ya existen herramientas como los filtros artísticos para conseguir efectos que simulen la pintura al óleo. Es cierto pero el comando Pintura al óleo va un poco más lejos y consigue transformaciones que nos dejarán boquiabiertos. Después de ejecutarlo desde el menú Filtro, Photoshop muestra una interfaz propia desde la que podrá configurar cada uno de los parámetros disponibles y conseguir el resultado deseado.

En la figura 10.6 puede observar un ejemplo en el que se ha utilizado valores altos de Estilización así como Detalle de cerdas.

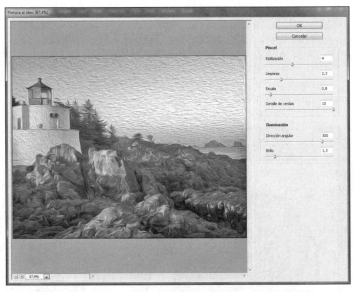

Figura 10.6. Ejemplo de aplicación del filtro Pintura al óleo.

> **Nota:** *Las imágenes de naturaleza o retratos suelen ser perfectas para conseguir resultados espectaculares con el comando* Pintura al óleo.

10.4. Deformación de posición libre

Después de varios cambios de ubicación hemos decidido colocar la descripción de esta nueva característica dentro de los comandos de transformación, porque si bien es cierto que realiza transformaciones importantes sobre la imagen también podría tratarse desde el punto de vista de las herramientas de selección.

El comando Deformación de posición libre permite cambiar o transformar la posición de cualquier parte de una figura u objeto. Hasta aquí, no parece demasiado interesante, pero si decimos que estos cambios se realizan sobre una malla de transformación que interactúa con toda la selección quizás lo vea con más interés, o no. En cualquier caso, la mejor forma de entender cómo funciona el comando **Deformación de posición libre** es utilizar un ejemplo.

Nota: *Puede descargar este archivo de ejemplo, así como la mayoría de los utilizados para la elaboración de este manual, desde la Web de Anaya Multimedia.*

Observe el elefante de la figura 10.7. En esta imagen el animal muestra una esbelta figura.

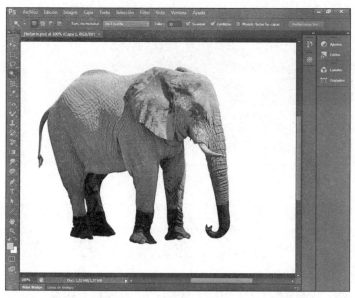

Figura 10.7. Imagen de ejemplo para el comando Deformación de posición libre.

Pues bien, queremos retocar la imagen para que aparezca en una actitud algo más acrobática con una de las patas levantadas y la trompa hacia arriba:

1. Una vez abierta la imagen de ejemplo debemos seleccionar el elemento que vamos a transformar. En nuestro caso, el elefante. Utilice las herramientas de selección como **Selección rápida** o **Lazo magnético** para completar la selección.

2. Tras completar el proceso anterior, seleccione el comando **Deformación de posición libre**, situado en el menú **Edición**. Al instante Photoshop crea la malla de transformación sobre el objeto.
3. El siguiente paso será añadir ubicaciones sobre la malla de transformación. Cada una de ellas nos permite convertir ese punto en móvil o fijo según necesitemos modificar la posición de dicha zona o bien que no se altere al cambiar la posición de otra ubicación. Observe en la figura 10.8 la localización de los puntos de control sobre la imagen de ejemplo. Nuestra intención es subir la trompa, levanta las patas delanteras y ajustar el tronco del animal. Por lo tanto, colocamos puntos en las partes superior y trasera de sus patas para que no se desplacen.

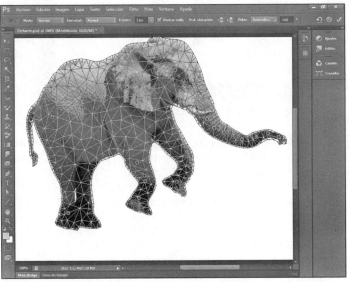

Figura 10.8. Puntos de control sobre la malla de transformación.

4. A continuación, debemos hacer clic sobre los puntos de control de la trompa, la cabeza, las patas delanteras y arrastrar hacia arriba hasta conseguir una posición natural para el animal. Es posible que también sea necesario modificar la posición del tronco para que la postura sea más correcta.

5. Una vez conseguida la transformación, haga clic en el botón de confirmación situado a la derecha de la barra de opciones. El resultado final lo puede comprobar en la figura 10.9.

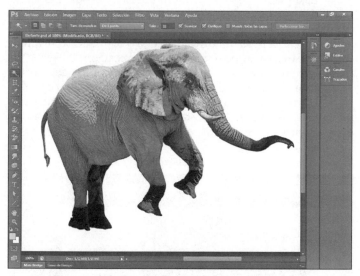

Figura 10.9. Resultado final de la transformación.

Si no está del todo conforme con el resultado, puede utilizar el primero de los botones que aparece en el extremo derecho de la barra de opciones para eliminar todas las ubicaciones y recuperar el aspecto inicial de la malla de transformación.

Para evitar pequeños halos que pueden quedar en la posición inicial del objeto, amplíe el radio de la selección o bien incremente el valor de la propiedad Expandir de la Barra de opciones. Otros parámetros interesantes son:

- Densidad: Utilice un número alto de puntos para manejar muchas ubicaciones con exactitud y los valores bajos para movimientos más simples.
- Mostrar malla: Oculta o muestra la malla de transformación. Lo habitual será mantenerla siempre visible.
- Modo: Controla la flexibilidad de la malla. Según bajo que circunstancias será necesario un comportamiento más o menos flexible de la malla de transformación, pruebe con los valores de esta lista hasta encontrar la combinación más adecuada.

10.5. Transición

Este comando situado en el menú Edición crea un curioso efecto en el que el resultado de la imagen después de aplicar un filtro, se coloca de forma imaginaria sobre la imagen original. De este modo, podemos utilizar el control de opacidad del cuadro de diálogo Transición que muestra la figura 10.10 para dejar ver totalmente la imagen original, con lo que perderíamos el efecto del filtro, o jugar con este valor para crear curiosas mezclas entre la imagen original y el resultado.

Figura 10.10. Cuadro de diálogo Transición.

La forma de usar este comando es sencilla, en primer lugar debe aplicar cualquiera de los efectos disponibles sobre la capa activa para después utilizar el comando Edición>Transición.... No olvide activar la casilla Previsualizar para conocer al instante los efectos de la transformación sobre la imagen.

Los comandos de transformación tratados en este capítulo son una interesante propuesta para modificar el aspecto de nuestras fotografías a partir de herramientas aparentemente sencillas.

Textos

11.1. Introducción

Es algunas ocasiones necesitará añadir algún título o cualquier texto a una fotografía o composición, en este capítulo intentaremos mostrar aquellas características relacionadas con el texto, más creativas y útiles. Estamos seguros de que no tiene ningún problema para añadir o modificar textos en Photoshop, así que pasaremos a tratar aspectos más interesantes.

> ***Truco:*** *Recuerde que para añadir un párrafo en lugar de una simple línea de texto es necesario hacer clic y arrastrar para describir el área que ocupará el texto. Del mismo modo, para transformar un objeto de texto a texto de párrafo, dispone del comando* Convertir a texto de párrafo *en el menú* Capa>Texto.

Respecto a las opciones de texto, la mayoría son conocidas de herramientas tan utilizadas como los procesadores de texto. Sólo destaremos el comando Método de suavizado que nos ofrece cuatro posibilidades para determinar el grado de nitidez de la fuente, desde los más suaves como Enfocado o Ninguno hasta los más pronunciados como Fuerte o Redondeado.

11.2. Máscaras de texto y texto vertical

De las cuatro herramientas de texto disponibles, dos corresponden a las versiones horizontal y vertical de las máscaras de texto. Con ellas podremos añadir sobre la capa activa un borde de selección de texto como el que muestra la figura 11.1.

Figura 11.1. Máscara de texto.

Cuando usamos alguna de estas dos herramientas, la imagen se cubre de color y el texto aparece en el color blanco. Pero éste no será su aspecto definitivo, simplemente es el método que utiliza Photoshop para facilitar el trabajo mientras creamos la máscara de texto.

Advertencia: Al utilizar el modo Máscara, en realidad no estamos incluyendo texto sobre la imagen, simplemente creamos su borde de selección. Este modo resulta útil para crear efectos de recorte sobre fondos o aprovechar motivos para rellenar textos.

Para finalizar la creación de la máscara de texto, utilizaremos el botón **Aprobar modificaciones actuales** de la barra de opciones y de este modo hacer efectiva la operación. De igual forma, si necesitamos cancelarla podemos usar la tecla **Esc** o el botón **Cancelar modificaciones actuales**.

---

*Truco: Una vez creado el borde de selección para el texto puede usar el botón **Añadir máscara** del panel **Capas** para crear un máscara con el texto escrito y aprovechar todas las propiedades de este elemento. En la figura 11.2 puede ver un ejemplo.*

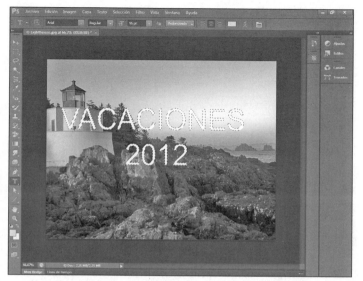

Figura 11.2. Ejemplo de máscara sobre el texto.

Si necesita escribir texto en formato vertical debemos seleccionar la herramienta correspondiente, ya sea **Texto vertical** o **Máscara de texto vertical**.

También podremos pasar un texto de vertical a horizontal o viceversa, con tan sólo hacer clic en el botón **Cambiar la orientación del texto** situado a la izquierda de la barra de opciones y que aparece resaltado en la figura 11.3. Esta es la forma más sencilla, pero si lo prefiere puede utilizar los comandos situados dentro del menú Texto>Orientación.

11.3. Paneles Carácter y Párrafo

El panel Carácter, que puede ver en la figura 11.4, pone a nuestra disposición todas las posibilidades de formateo de caracteres incluidas en el programa.

La descripción de las más importantes sería la siguiente:

- Interlineado: Indica la cantidad de espacio, en sentido vertical, aplicado entre las líneas del párrafo.
- Kerning: Esta extraña palabreja corresponde con la opción que permitirá controlar el espacio entre pares de caracteres concretos.

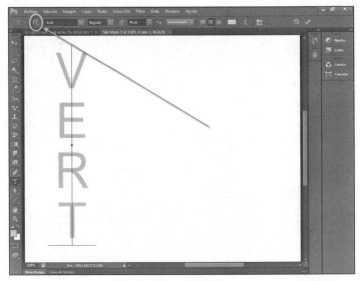

Figura 11.3. Botón para cambiar la orientación del texto.

Figura 11.4. Panel Carácter.

- **Tracking:** Define el espacio entre caracteres. Puede utilizar tanto valores positivos como negativos para aumentar o disminuir esta distancia.
- **Desplazamiento vertical:** Define la distancia entre los caracteres y la línea imaginaria sobre la que se sitúan, denominada *línea de base*. Los valores positivos elevan el texto con respecto a esta referencia y los negativos lo bajan. En la figura 11.5, podemos ver un ejemplo en el que hemos elevado una parte de los caracteres.

Figura 11.5. Texto al que se le ha modificado la altura
con respecto a la línea de base.

- Escalar horizontal: Modifica el espacio original que ocupan horizontalmente los caracteres, comprimiéndolos para valores menores de 100 y expandiéndolos para porcentajes mayores. En cualquiera de las dos situaciones, existe una deformación sobre el aspecto original de cada carácter.
- Escalar vertical: El mismo efecto descrito para la función anterior pero aplicado verticalmente.
- Negrita falsa y Cursiva falsa: No todos los modelos de fuentes incluyen en su mapa de caracteres versiones negrita y cursiva de los mismos.
  Estas dos opciones, y en general cualquier opción *faux o falsa*, permiten simular estilos de fuente no definidos en el tipo de letra elegido.
- Todo en mayúsculas: Sustituye todos los caracteres en minúsculas por su correspondiente en mayúsculas.
- Versalitas: Este estilo de fuente también transforma los caracteres en minúsculas en mayúsculas pero asignándoles una altura menor.
  Tanto en esta opción como en la anterior, si la familia de fuentes no dispone de estos estilos se utilizarían modelos *faux*.

- **Índice** y **Superíndice**: Estos dos estilos reducen el tamaño de la fuente y modifican su posición con respecto a la línea de base.
- **Subrayado** y **Tachado**: Estas dos opciones no necesitan explicación.
- **Configurar idioma**: Es importante seleccionar en esta lista el idioma en el que se encuentre el texto para que el programa pueda realizar correctamente los procesos de corrección y separación silábica.
- **Método de suavizado**: Las posibilidades de esta lista son idénticas a las que acabamos de describir para la barra Opciones.

Si el panel **Carácter** contenía funciones de formateo de caracteres, las opciones del panel **Párrafo**, que muestra la figura 11.6, afectan al tratamiento de párrafos.

Advertencia: En el caso de objetos de texto, debemos tener en cuenta que cada línea es un párrafo independiente. No ocurre lo mismo con el texto de párrafo, donde existirán párrafos con más de una línea.

Figura 11.6. Panel Párrafo.

En la parte superior del panel, encontramos todas las posibilidades de alineación. Las tres primeras son las típicas que hemos utilizado más de una vez en otras aplicaciones. El resto determina el comportamiento de la última línea de un párrafo en el caso de justificar completamente el texto.

A continuación, encontramos cinco casillas de texto que permiten introducir valores que determinarán:

- La separación entre los márgenes del rectángulo delimitador y el texto.
- El valor de sangrado para la primera línea del texto.
- La cantidad de espacio por encima y por debajo del párrafo.

Por último, active la casilla **Separar** si quiere utilizar las opciones por defecto de Photoshop para la separación silábica de palabras que no sea posible incluir completas al final de una línea.

> *Truco: Si desea modificar los parámetros de separación de palabras, seleccione el comando* **Separación de sílabas** *en el menú asociado al panel* **Párrafo**.

11.4. El texto y las capas

Si es una persona observadora, habrá comprobado que en el mismo instante de hacer clic con la herramienta **Texto** sobre la imagen o terminar de dibujar un rectángulo de texto, aparece una nueva capa que se identifica por una letra "T" mayúscula situada dentro de la miniatura y que adopta como nombre las primeras palabras del texto escrito como podemos comprobar en la figura 11.7.

Figura 11.7. Capa de texto.

> *Truco: Para seleccionar todo el texto de una capa, haga clic sobre su miniatura, no sobre el nombre de la capa.*

Por defecto, las capas de texto tienen bloqueados los píxeles lo que provoca que no sea posible utilizar las herramientas de pintura sobre ellas. El motivo es que Photoshop los trata como elementos vectoriales.

> *Truco: Si desea crear un borde de selección sobre un texto ya existente, mantenga pulsada la tecla Control mientras hace clic sobre la miniatura de la capa que lo representa.*

11.4.1. Rasterizar texto

Como acabamos de comentar, las capas de texto tienen limitadas sus posibilidades de edición por tratarse de elementos vectoriales. Pero si decide que ha terminado de trabajar un texto y quiere usar alguna función de pintura sobre la capa que lo contiene, deberá *rasterizarla*. En realidad lo que conseguimos con esta opción no es más que transformar el formato vectorial de los elementos de texto en mapa de bits, proceso imprescindible si queremos editar el texto como una parte más de la imagen.

Para llevar a cabo esta tarea, haga clic con el botón derecho sobre la capa que contiene el texto que quiere transformar y seleccione el comando Rasterizar texto. Si lo desea, puede convertir todas las capas del documento utilizando el comando Capa>Rasterizar>Todas las capas.

> *Nota: Recuerde que al rasterizar pierde una de las grandes ventajas de los gráficos vectoriales, que es la posibilidad de ampliarlos sin que pierdan nitidez, así que antes de llevar a cabo este paso asegúrese de que tienen la forma y las proporciones definitivas.*

11.5. Efectos especiales sobre texto

Los estilos de capa en el texto se aplican del mismo modo que para las capas habituales. Pero quizás sea sobre el texto donde ganen más fuerza, por lo que recomendamos no perder la oportunidad de probar cada una de las alternativas disponibles. En la figura 11.8 podemos ver un ejemplo en el que hemos aprovechado algunas de las posibilidades de los estilos de capa aplicados sobre el texto.

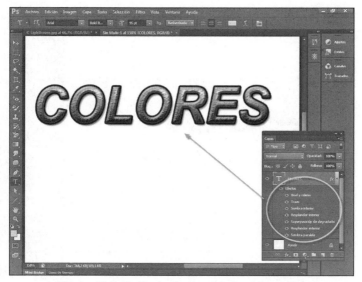

Figura 11.8. Estilo de capa aplicado sobre texto.

Otro manera de cambiar el aspecto de cualquier texto en Photoshop es utilizar el botón **Crear texto deformado**, situado en la barra de opciones. Al instante aparecerá el cuadro de diálogo que muestra la figura 11.9, con el que podrá aplicar sugerentes formas a cualquiera de los textos incluidos en la imagen.

> **Nota:** *No es necesario rasterizar una capa de texto para aplicar efectos sobre ella.*

11.6. Estilos de carácter y de párrafo

Los estilos de carácter y de párrafo en Photoshop tienen el mismo significado que en aplicaciones de tratamiento de textos tan conocidas como OpenOffice Write o Microsoft Office Word.

Se trata de agrupar bajo un mismo nombre un conjunto de especificaciones de párrafo o de carácter. De este modo, simplemente tendríamos que hacer clic sobre el estilo que deseemos utilizar en lugar de aplicar una y otra vez los mismos ajustes.

Figura 11.9. Cuadro de diálogo Deformar texto.

Los paneles Estilos de carácter y Estilos de párrafo permiten tener organizados nuestros estilos y utilizarlos cómodamente tantas veces como sea necesario. Para crear un nuevo estilo tanto de párrafo como de carácter tiene dos posibilidades. La primera de ellas sería seleccionar algún texto ya formateado y después hacer clic sobre los iconos que hemos resaltado en la figura 11.10. De esta forma, el nuevo estilo tomará todas las características del texto seleccionado.

Figura 11.10. Iconos Crear nuevo estilo de los paneles Estilos de carácter y Estilos de párrafo.

Otra forma sería crear un estilo desde cero. Para ello haga clic sobre el icono **Crear nuevo estilo de párrafo** o **Crear nuevo estilo de carácter** según el tipo de estilo que necesite. A continuación, haga doble clic sobre el nuevo estilo en la paleta para mostrar el cuadro de diálogo de configuración. En la figura 11.11 puede ver las posibilidades de configuración tanto de párrafo como de carácter.

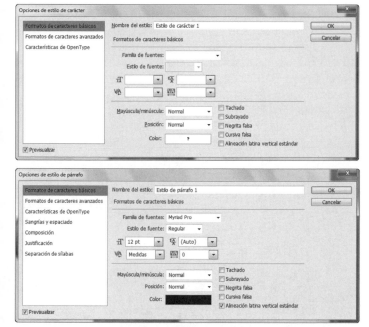

Figura 11.11. Cuadros de configuración de estilos de párrafo y de carácter.

Nota: Para modificar las características de cualquier estilo basta con hacer doble clic sobre su nombre.

A la hora de aplicar estilos en Photoshop, la técnica es muy sencilla, seleccione la capa que contiene el texto y después haga clic sobre el estilo que desea aplicarle.

Advertencia: Debe tener en cuenta que cualquier modificación de los valores de configuración de un estilo se aplicará sobre todas las capas que tengan aplicado dicho estilo.

RAW

12.1. Introducción

Aunque el formato RAW lleva algún tiempo entre nosotros, es desde la popularización de las réflex digitales cuando ha tomado mayor aceptación y presencia. Hasta no hace demasiado era un formato poco conocido y utilizado principalmente en la fotografía profesional aunque todo esto está cambiando muy deprisa.

En la actualidad lo encontraremos disponible en todas las réflex digitales del mercado y en muchas compactas de alta gama.

Con respecto a los archivos almacenados en formato RAW, son imágenes en "bruto", o dicho de otro modo, tal y como fueron captadas por el sensor de la cámara digital, sin procesamiento alguno, ni compresión. Este es el motivo por el que se conoce a este formato como "negativo digital". La ventaja es evidente, podemos corregir y tratar cualquier característica de la imagen, aplicar sobre ella cientos de efectos, probar distintas situaciones de luz, color, etcétera.

Esto ya ocurría con los negativos tradicionales de película y por esta razón, eran guardados como verdaderas joyas por sus propietarios.

> **Nota:** *El sensor o CCD es el dispositivo electrónico que utilizan las cámaras digitales para captar la imagen cuando se abre el obturador. En las cámaras tradicionales esta misma función la realiza la película mediante los componentes químicos sensibles a la luz que la forman. En la figura 12.1 puede ver el aspecto de una cámara réflex digital.*

Figura 12.1. Cámara réflex digital.

Pero todo no podía ser bueno y en estos momentos, el gran inconveniente del formato RAW es que cada fabricante utiliza su propia definición del mismo y así lo demuestran las diferentes extensiones que podemos encontrar: .crw, .mrw, .nef, .raw o .orw. Incluso Windows no admitía este formato hasta no hace demasiado tiempo. Pero no se preocupe, ahora es posible utilizarlo en este sistema operativo sin problemas. Evidentemente todo está cambiando muy deprisa y no sabemos en qué situación se encontrará cuando lea estas páginas. De lo que sí estamos seguros es que el formato RAW ya es una realidad y no debe desaprovechar todas las posibilidades que ofrece este nuevo "negativo digital".

Dado su gran potencial, existe un movimiento que intenta unificar las características de todos los fabricantes en lo que al formato RAW respecta. En cualquier caso, ya existen multitud de programas que permiten tratar los archivos RAW de forma idéntica a cualquier otro tipo de archivo.

Los ingenieros de Photoshop son conscientes de la importancia de este formato para los profesionales de la fotografía y en cada nueva versión añaden más funcionalidades para trabajar con él. Más concretamente existe un componente dentro de Photoshop Creative Suite denominado Camera RAW que nos permitirá trabajar con imágenes en este formato. La figura 12.2 muestra el aspecto de este elemento.

Nota: *En realidad, podemos considerar Camera Raw como un plugin más de Photoshop y no como un elemento propio del programa. Esto tiene grandes ventajas pero la principal es que si existen actualizaciones de este plugin podremos instalarlas sin más y no será necesario actualizar el programa completo.*

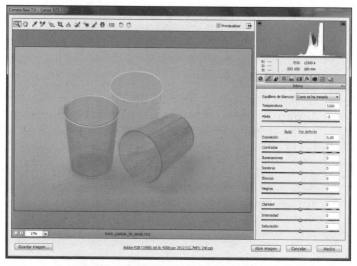

Figura 12.2. Interfaz de Camera Raw.

Cuando trabajamos con imágenes RAW es habitual que los diferentes ajustes se almacenen en un archivo independiente denominado XMP sidecar. En el caso del formato DNG (Negativo Digital) utilizado preferentemente por Photoshop los ajustes se almacenan en el mismo archivo aunque si lo deseamos podemos utilizar también archivos de ajustes XMP sidecar.

> **Nota:** *El formato DNG no depende de ningún fabricante ni desarrollador de software, por lo que está siendo aceptado como un estándar para trabajar con archivos de tipo Raw en diferentes plataformas.*

12.2. Camera Raw

Para poder trabajar con el plugin para archivos RAW de Photoshop no es necesario hacer nada especial, puesto que será el propio programa el que nos mostrará la herramienta **Camera Raw** cuando intentemos abrir algún archivo con este formato.

Una vez dentro de la interfaz de Camera Raw podemos distinguir cuatro zonas:

- En la parte superior de la pantalla disponemos de diferentes herramientas que permitirán ampliar zonas de la imagen, tomar muestras de color, eliminar problemas de ojos, recortar la imagen o incluso rotarla a izquierda y derecha.
- En el área central se muestra una vista preliminar de la imagen y en ella se reflejarán de forma instantánea los ajustes que realicemos, siempre y cuando se encuentre activa la casilla de verificación Previsualizar.
- En la esquinar superior derecha encontramos un elemento que cada día nos resulta más familiar, el histograma. Este diagrama mostrará la distribución de píxeles de la imagen, y además algunos datos interesantes como el valor ISO con el que fue tomada la imagen, la velocidad de obturación o el valor de apertura. Estos parámetros se encuentran resaltados en la figura 12.3.

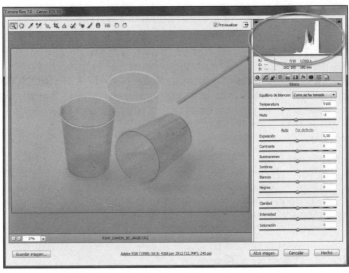

Figura 12.3. Información relacionada con la imagen en el histograma de Camera Raw.

- Por último, situada bajo el histograma, se encuentra la parte más importante de la herramienta. En ella se recogen todas las posibilidades de ajuste, corrección y modificación. Cada una de las categorías está representada por un pequeño icono.

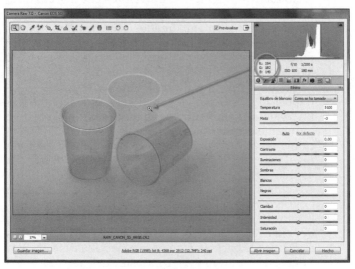

Figura 12.4. Valor RGB del píxel sobre el que se encuentra situado el cursor.

12.3. Ajustes importantes

Evidentemente todos los ajustes que ofrece la herramienta **Camera Raw** son importantes pero quizás, aquellos que usaremos con más frecuencia y que encajan con los contenidos de este manual son los que podemos encontrar en la primera sección denominada Básico y que puede ver en la figura 12.5.

Como acabamos de comentar, una vez dentro de la sección Básico los ajustes más importantes son los siguientes:

- Equilibrio de blancos: Como tratamos en los primeros capítulos establecer correctamente el balance de blancos en nuestra cámara es indispensable para obtener unos buenos resultados. Este problema se identifica con claridad en fotos tomadas a última hora de la tarde, o sobre personas donde las tonalidades de la piel no son naturales. La lista desplegable Equilibrio de blancos dispone de un buen número de situaciones preestablecidas que nos ayudarán a encontrar el ajuste perfecto en pocos segundos. Para recuperar el aspecto inicial de la imagen, utilice la entrada denominada Como se ha tomado.

- Si no fuera suficiente con los valores por defecto de la opción anterior, las opciones Temperatura y Matiz permiten establecer manualmente estos dos importantes parámetros. Modificando estos reguladores conseguirá tonos más cálidos o más fríos y mejorará el aspecto de la fotografía en aquellas situaciones donde las condiciones de luz no hayan sido las más adecuadas.

- Exposición: La exposición es el valor que determina el intervalo de tiempo que permanece abierto el objetivo y durante el que está llegando luz hasta el CCD de la cámara. Las fotografías que han sido tomadas con un nivel de exposición por debajo del correcto tienen un aspecto apagado y muestran un bajo nivel de contraste. Al contrario, las imágenes sobreexpuestas presentan un excesivo grado de luminosidad.

- Contraste: Permite modificar la gama completa de tonos de la imagen, aclarando u oscureciendo según movamos el regulador hacia la izquierda o hacia la derecha. Por lo general, la mejora del contraste suele ser una cuestión esencial en determinadas fotografías.

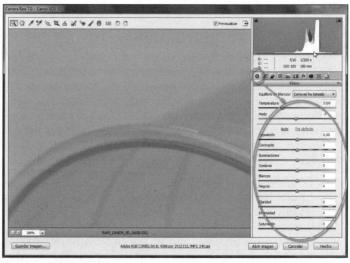

Figura 12.5. Ajustes básicos de Camera Raw.

- **Sombras:** Soluciona el oscurecimiento de objetos situados en primer plano cuando existe un fondo demasiado iluminado.
- **Iluminaciones:** Utilizaremos este regulador para modificar la gama de tonos de la imagen, teniendo en cuenta que este comando ajusta al mismo tiempo los valores de luces, sombras y medios tonos. Desplace a discreción el control para comprobar el resultado sobre la imagen.
- **Blancos:** Mejora el contraste, trabajando principalmente sobre las zonas más iluminadas de la imagen.
- **Negros:** Mejora el contraste, trabajando principalmente sobre las sombras de la imagen.
- **Claridad:** Éste localiza los medios tonos de la imagen y aumenta su contraste con el propósito de conseguir mayor profundidad. Este efecto no es significativo en imágenes muy homogéneas desde el punto de vista tonal, pero en aquellas con muchas variaciones y bordes el resultado es mucho más apreciable.
- **Intensidad** y **Saturación:** Aumenta o bien disminuye la calidad y el énfasis de los tonos predominantes de la imagen.

Utilice la opción **Auto** para que el programa calcule los mejores ajustes para la imagen. Esta característica, si bien es cierto que es una gran ayuda, no es perfecta y es posible que tengamos que reajustar algunos valores.

12.4. Más ajustes

Es evidente que aquí no terminan las posibilidades de edición de negativos digitales en Photoshop. El resto de iconos que hemos resaltado en la figura 12.6 ofrecen muchas más posibilidades.

Veamos los más importantes:

- **Curva de tonos**: La curva de tonos muestra la distribución exacta de los píxeles de la imagen en función de sus cuatro valores principales: Iluminaciones, Claros, Oscuros y Sombras. Desde esta sección puede controlar de forma individual cada uno de ellos.
- **Detalle**: Desde esta sección podemos controlar dos aspectos muy importantes a la hora de corregir una imagen: el enfoque y el ruido. Los resultados son realmente

increíbles a la hora de arreglar imágenes mal enfocadas o con exceso de ruido provocado por las malas condiciones de luz.

- **HSL/Escala de grises**: La casilla de verificación Convertir a escala de grises transforma todo el espectro cromático de la imagen en valores intermedios entre el blanco y el negro. El resultado suele ser una elegante versión de la imagen original.
- **Dividir tono**: Modifica los valores globales de tono y saturación sobre los píxeles más iluminados y sobre las sombras (más oscuros).
- **Correcciones de lentes**: Permite corregir las desviaciones toleradas y las aberraciones cromáticas generadas sobre la imagen por la lente de nuestra cámara. El filtro Corrección de lente realiza una función similar a esta característica de **Camera Raw**.
- **Instantáneas**: Permite crear versiones de la imagen que podremos recuperar en cualquier momento. Use el pequeño icono situado en la esquina inferior derecha para crear una nueva instantánea.

Tal como puede comprobar, un mundo lleno de posibilidades para trabajar cualquier aspecto de sus instantáneas en formato RAW.

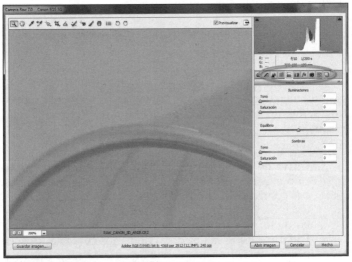

Figura 12.6. Resto de posibilidades de Camera Raw.

12.5. Guardar la imagen

Una vez finalizados los ajustes en la herramienta **Camera Raw** tenemos varias posibilidades. El botón **Guardar imagen** abre el cuadro de diálogo que puede ver en la figura 12.7 donde podrá establecer la configuración del nuevo archivo como la ubicación, la extensión, el nombre del documento, etcétera.

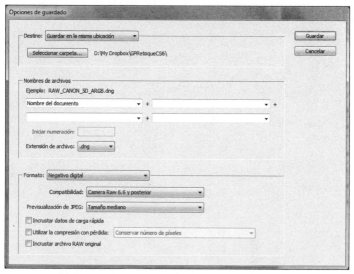

Figura 12.7. Cuadro de diálogo Opciones de guardado.

Por otra parte si decidimos seguir trabajando con el archivo, pero ya desde la interfaz de Photoshop, será necesario utilizar el botón **Abrir imagen**.

Finalmente, el botón **Hecho**, guarda todos los cambios y cierra la herramienta Camera Raw.

> *Truco: Mantenga pulsada la tecla **Alt** y el botón **Cancelar** se convertirá en **Restaurar**. Utilice este último para reestablecer los ajustes iniciales del cuadro de diálogo.*

Si quiere considerarse un usuario medio/avanzado en el mundo de la fotografía digital es imprescindible que al menos conozca los detalles básicos del formato Raw.

Este formato, también llamado "Negativo Digital" almacena una versión "en bruto" de la imagen, con toda la información sin tratar que fue captada por el CCD de la cámara.

El plugin **Camera Raw** nos ofrece infinidad de posibilidades para trabajar archivos Raw desde el mismo entorno de Photoshop.

Imágenes HDR

13.1. Introducción

Las imágenes de alto rango dinámico o HDR ofrecen una mejor interpretación de todos los niveles de luz disponibles en la escena original. La técnica más usada para obtener este tipo de instantáneas es la combinación de varias capturas, cada una de ellas con un rango de luminancia distinto. A estas imágenes previas se les conoce como LDR o de bajo rango dinámico, aunque en realidad se trata de imágenes tomadas con valores de exposición que pueden ir desde los más bajos hasta los más extremos.

En la actualidad muchos son los dispositivos que permiten obtener imágenes de alto rango dinámico pero sin lugar a dudas, los nuevos teléfonos inteligentes con sus potentes cámaras integradas están dando un gran impulso a este tipo de imágenes. Por no hablar de la posibilidad de subir las fotos directamente a nuestras redes sociales favoritas o a conocidas Web de almacenamiento de imágenes.

> **Nota:** *Existen otros métodos para generar imágenes de alto rango dinámico como puede ser el renderizado por ordenador o el mapeado de tonos, pero sin lugar a dudas, la forma más asequible de conseguir buenos resultados sin demasiados medios es la utilización de varias imágenes con diferentes valores de exposición como puede observar en la figura 13.1 y por supuesto, Photoshop.*

Photoshop permite desde su versión CS2 componer imágenes HDR mediante el comando **Combinar para HDR** situado en el menú Archivo>Automatizar. En los siguientes apartados veremos cómo aprovechar sus posibilidades.

Figura 13.1. La misma imagen tomada con diferentes valores de exposición.

13.2. Valor de exposición

Como acabamos de comentar, uno de los métodos para obtener imágenes de alto rango dinámico es combinar varias instantáneas, cada una de ellas con un valor de exposición diferente. Pero aprendamos algo más sobre este concepto.

Inicialmente, la exposición depende de dos factores aunque veremos que existe un tercero en discordia que también resulta determinante en algunas situaciones. Si recuerda los primeros capítulos, la exposición en fotografía se podía controlar mediante el tiempo que permanece abierto el objetivo, o lo que es lo mismo, el intervalo en fracciones de segundos que el sensor de la cámara está recibiendo luz. Por otra parte, tenemos la apertura del objetivo que regula la cantidad de luz que llega hasta el sensor de la cámara.

Hasta aquí los dos primeros parámetros, por una parte el tiempo que permanece abierto el objetivo o velocidad de obturación y por otra, su diámetro o apertura. Combinando estos dos valores tendremos el valor de exposición, más conocido por sus siglas EV.

Además de los parámetros comentados, existe otro factor que también afecta a la exposición de una imagen y es el factor de sensibilidad ISO. Este valor hace referencia a la cantidad de ruido que aparece en la imagen. Nuestra recomendación es probar diferentes grados de sensibilidad ISO hasta conseguir la exposición perfecta.

El valor de exposición o EV se expresa con un número. Esta unidad tiene su origen en la combinación de las diferentes aperturas de diafragma disponibles f:1, f:1.4, f:2, etcétera, y los tiempos de obturación en segundos. Por ejemplo, el EV 0 o valor base equivale a usar f:1 como ajuste de apertura y un segundo, como velocidad de obturación. En Internet encontrará multitud de tablas que muestran la correspondencia exacta para cada uno de los valores de exposición. En la figura 13.2, le mostramos parte de una de estas tablas.

EV	número f							
	1.0	1.4	2.0	2.8	4.0	5.6	8.0	11
−6	1 min	2 min	4 min	8 min	16 min	32 min	64 min	128 min
−5	30 s	1 min	2 min	4 min	8 min	16 min	32 min	64 min
−4	15 s	30 s	1 min	2 min	4 min	8 min	16 min	32 min
−3	8 s	15 s	30 s	1 min	2 min	4 min	8 min	16 min
−2	4 s	8 s	15 s	30 s	1 min	2 min	4 min	8 min
−1	2 s	4 s	8 s	15 s	30 s	1 min	2 min	4 min
0	1 s	2 s	4 s	8 s	15 s	30 s	1 min	2 min
1	1/2 s	1 s	2 s	4 s	8 s	15 s	30 s	1 min
2	1/4 s	1/2 s	1 s	2 s	4 s	8 s	15 s	30 s
3	1/8 s	1/4 s	1/2 s	1 s	2 s	4 s	8 s	15 s
4	1/15 s	1/8 s	1/4 s	1/2 s	1 s	2 s	4 s	8 s
5	1/30 s	1/15 s	1/8 s	1/4 s	1/2 s	1 s	2 s	4 s
6	1/60 s	1/30 s	1/15 s	1/8 s	1/4 s	1/2 s	1 s	2 s
7	1/125 s	1/60 s	1/30 s	1/15 s	1/8 s	1/4 s	1/2 s	1 s

Figura 13.2. Correspondencias para los diferentes valores de exposición.

Nota: *El concepto de* **Paso** *en fotografía hace referencia al nivel siguiente o anterior tanto en los valores de apertura como de velocidad de obturación. Un paso más equivale al doble del valor actual y uno menos, a la mitad.*

13.3. Preparativos y consejos previos

Una vez elegido el motivo o entorno que desea inmortalizar en su imagen HDR debe tener en cuenta algunos aspectos y consejos para que todo salga perfecto:

- Es recomendable, o casi imprescindible, utilizar un trípode para tomar cada una de las imágenes con la menor variación posible entre ellas. Photoshop incluye entre sus características para el procesamiento de imágenes HDR, la posibilidad de estabilizarlas si hemos decidido confiar en nuestro pulso, pero evidentemente los resultados no son perfectos.
- Parece obvio, pero debemos asegurarnos de que no pasa ningún elemento en movimiento por la escena: personas, animales, algún objeto, ramas que se mueven con el

viento, etcétera. También han pensado en esto los ingenieros de Photoshop, y en el cuadro de diálogo asociado al tratamiento de imágenes HDR existe la posibilidad de "limpiar" estos elementos, pero de nuevo recomendamos evitarlo en las tomas originales siempre que sea posible.

- Si se trata de paisajes o retratos de exterior sería conveniente utilizar las mejores luces del día, es decir, el amanecer o el atardecer para conseguir resultados mucho más espectaculares.

- Si necesita utilizar flash, compruebe que se encuentra activado en todas las tomas y con la misma intensidad, puesto que muchas cámaras permiten modificar este valor.

- El número mínimo de imágenes que necesita para que Photoshop pueda trabajar son tres, pero esta cantidad es claramente insuficiente. Capture al menos seis o más imágenes para aportar información suficiente al programa y obtener mejores resultados.

- Entre cada una de las instantáneas debería existir al menos una diferencia entre 1 o 2 EV, ya sabe, valores de exposición.

- Intente, siempre que sea posible, modificar sólo la velocidad de obturación, manteniendo fija la apertura. De esta forma la profundidad de campo será siempre idéntica en todas las tomas.

- Por último, simplemente, paciencia. La fotografía en general es una afición que necesita tiempo, así que no tenga prisa por obtener a la primera una fotografía HDR perfecta.

Para nuestro ejemplo, y con el fin de no alargar en exceso las explicaciones tomaremos como referencia únicamente tres imágenes en las que se han mantenido la sensibilidad, la apertura y tan sólo se ha modificado la velocidad de obturación en cada toma. Las figuras 13.3, 13.4 y 13.5 servirán como ejemplo.

Nota: *Si quiere crear una imagen HDR a partir de un archivo RAW debe tener en cuenta que necesita eliminar previamente la información EXIF de cada copia a fin de que Photoshop no crea que se trata de la misma imagen. En Internet podrá encontrar multitud de utilidades que le permiten realizar este proceso.*

Figura 13.3. Primera toma de ejemplo
con valor de exposición bajo.

Figura 13.4. Segunda toma de ejemplo
con valor de exposición intermedio.

Figura 13.5. Tercera toma de ejemplo
con valor de exposición muy alto.

13.4. Combinar para HDR

Una vez obtenidas las imágenes con los diferentes valores de exposición toca el turno de abrir nuestra aplicación favorita de retoque fotográfico, Photoshop. Seleccione el comando **Combinar para HDR Pro** que está situado en el menú Archivo>Automatizar. Al instante tendrá acceso al cuadro de diálogo que muestra la figura 13.6.

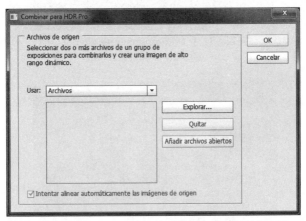

Figura 13.6. Cuadro de diálogo Combinar para HDR Pro.

Nota: *Desde las primeras versiones, Photoshop ha mejorado notablemente el tratamiento y las posibilidades para trabajar con imágenes HDR.*

13.4.1. Seleccionar imágenes

La primera tarea en el cuadro de diálogo Combinar para HDR Pro será seleccionar las imágenes con las que deseamos trabajar y para ello tenemos varias opciones:

- En la lista desplegable Usar seleccione la opción Archivos y continuación haga clic en el botón **Explorar** para elegir las imágenes.
- Otra posibilidad es seleccionar Carpeta en la lista Usar. De este modo, con el botón **Explorar,** podrá elegir una ubicación determinada y Photoshop agregará automáticamente todas las imágenes que contenga.

- Por último, el botón **Añadir archivos abiertos** permite utilizar las imágenes con las que esté trabajando en ese momento.

> **Nota:** *Para utilizar las imágenes abiertas como archivos para la composición del HDR debe guardarlas previamente.*

En este punto, queremos insistir de nuevo en la recomendación de utilizar un número razonable de imágenes con variaciones suficientes en su exposición. Esto proporcionará a Photoshop más información y tendrá más alternativas a la hora de combinarlas y crear una buena imagen de alto rango dinámico.

> **Truco:** *Si por algún motivo decidió no utilizar un trípode y confió en su pulso, puede activar la casilla de verificación* Intentar alinear automáticamente las imágenes de origen *para que Photoshop establezca un punto de referencia y alinee las imágenes correctamente.*

13.4.2. Configurar exposición

Una vez seleccionadas las imágenes que va a utilizar así que haga clic en **OK**. Después, Photoshop parecerá tener vida propia y realizará cientos de comprobaciones y ajustes hasta llegar a un nuevo cuadro de diálogo, como puede ver en la figura 13.7.

En él debe indicar los datos de exposición de cada una de las instantáneas.

Figura 13.7. Cuadro de diálogo Configurar EV manualmente.

Este paso es importante ya que los distintos valores los utilizará Photoshop para componer el histograma correcto de cada imagen y generar la imagen HDR.

En el cuadro **Configurar EV manualmente** puede añadir valores a cada una de las tomas o corregir aquellos que no sean correctos.

Utilice los dos botones situados bajo la vista previa para seleccionar cada una de las imágenes disponibles. Puede modificar de manera independiente cada uno de los valores: velocidad de obturación, apertura y sensibilidad, o utilizar unidades de exposición activando la opción **EV**.

> **Nota:** *Internamente Photoshop siempre usa EV como medida para poder calcular las diferencias de exposición entre imágenes.*

13.4.3. Ajustes finales

Finalizado el proceso de configuración de los valores que determinan la exposición de cada imagen, haga clic en **OK** para llegar al cuadro de diálogo **Combinar para HDR Pro** que puede ver en la figura 13.8.

Figura 13.8. Cuadro de diálogo Combinar para HDR Pro.

En él podemos distinguir tres zonas:

- En primer lugar tenemos la vista previa de la imagen HDR. Este sería el resultado que presenta Photoshop, pero como veremos a continuación todavía podemos aplicar bastantes ajustes sobre ella para conseguir el resultado deseado.
- Bajo la vista previa se encuentran todas las imágenes seleccionadas previamente y que se han utilizado en el proceso de composición. Como puede comprobar, bajo cada una de ellas aparece una casilla de verificación y su valor EV. Photoshop permite añadir o eliminar cualquiera de las imágenes previas del resultado final con tan sólo activar o desactivar la casilla de verificación asociada a cada una de ellas. Esta opción es muy importante ya que permite utilizar sólo las instantáneas que nos interesen y comprobar el resultado al instante.
- Por último, el margen derecho nos muestra todos los ajustes posibles para modificar el resultado final de la combinación HDR. Hablaremos de ellos un poco más adelante.

Después de comentar las distintas partes en las que está estructurado el cuadro de diálogo Combinar para HDR Pro, nuestro consejo es que revise en primer lugar las posibilidades que muestra la lista desplegable Ajuste preestablecido. En ella, encontrará diferentes configuraciones con todos los valores listos para ser usados. Si la escena o el efecto que quiere conseguir se encuentran en esta lista no dude en utilizarlo. También puede usar algún ajuste preestablecido como punto de partida y seguir modificando parámetros hasta encontrar el resultado deseado.

13.4.4. ¿32, 16 u 8 bits?

Compruebe como en la lista Modo del cuadro de diálogo Combinar para HDR Pro se encuentran estas tres posibilidades, y también observe como al seleccionar la opción 32 bits, desaparecen todas las posibilidades de ajuste y el cuadro de diálogo muestra el aspecto que puede ver en la figura 13.9.

El motivo es que con 32 bits de profundidad, la imagen HDR tiene margen suficiente para almacenar todo el rango tonal de la imagen y por lo tanto, no es necesario realizar ningún ajuste sobre el resultado. Con 16 u 8 bits no tendremos suficiente capacidad para almacenar toda esta información y es necesario modificar diferentes parámetros para conseguir un resultado similar al obtenido cuando trabajamos con imágenes de 32 bits.

Figura 13.9. Cuadro de diálogo Combinar para HDR Pro con la opción 32 bits seleccionada.

Pues si esto es así, ¿por qué no trabajar siempre con imágenes de 32 bits? El motivo lo encontramos en primer lugar en las posibilidades del propio Photoshop, donde muchos de los comandos y las características disponibles no será posible aplicarlas sobre imágenes de 32bits.

Por tanto si una vez generado la imagen HDR queremos trabajar con ella como base para algún trabajo creativo con Photoshop debe tener en cuenta que algunas tareas no podrá realizarlas. Por otra parte, no todos los dispositivos están preparados para visualizar imágenes de 32 bits y al mostrar imágenes con esta definición los resultados podrían no ser los esperados.

Truco: En cualquier momento puede convertir una imagen de 32 bits por canal a 16 u 8 bits mediante el comando Imagen>Modo.

13.4.5. Ajustes para imágenes HDR de 16 u 8 bits

Si por cualquier motivo no tenemos más remedio que convertir la imagen a 16 u 8 bits, o simplemente quiere trabajar con este formato, tendrá que recurrir a los ajustes del cuadro de diálogo Combinar para HDR Pro para compensar la pérdida de información tonal y conseguir aproximarnos todo lo posible al resultado que obtendríamos con una profundidad de 32 bits.

Seleccione 16 bits u 8 bits en la opción Modo y Adaptación local en la lista situada a su derecha.

A partir de aquí podemos dividir los ajustes en estas cuatro secciones:

- **Resplandor de borde:** Estos dos controles podríamos decir que son los más importantes del conjunto disponible de ajustes y determinan en gran medida el aspecto final de la imagen. Pruebe con distintos valores hasta encontrar la combinación perfecta pero no reduzca demasiado el radio o el resultado será poco natural. Hemos resaltado estos controles en la figura 13.10.

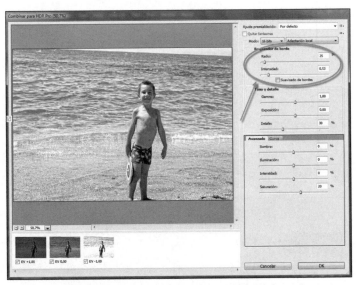

Figura 13.10. Ajustes Radio e Intensidad del cuadro de diálogo Combinar para HDR Pro.

- **Tono y detalle:** Dentro de esta sección encontramos la opción **Gamma** como elemento destacado. Controle sus valores pero siempre manteniendo cantidades cercanas a la unidad para no desvirtuar en exceso la imagen. El resto de controles son viejos conocidos de otros comandos de ajustes disponibles en Photoshop, teniendo aquí la misma función.

- **Avanzado:** En la parte inferior dispone de dos pestañas. La primera de ellas denominada **Avanzado** muestra varios controles de los que destacamos **Intensidad** y **Saturación**. Variando los valores de intensidad daremos un poco más de significado a las tonalidades que dispongan de poca presencia en nuestra imagen pero sin afectar demasiado al resto. Con el control de saturación todos los colores de la imagen se verán afectados.

- **Curva:** Por último, podemos cambiar la curva de la imagen para variar su contraste con un nivel de precisión equivalente al que podemos realizar en Photoshop con el comando del mismo nombre. Haga clic sobre la curva para crear nuevos puntos de control, tal y como muestra la figura 13.11, y arrastre hasta conseguir el aspecto deseado.

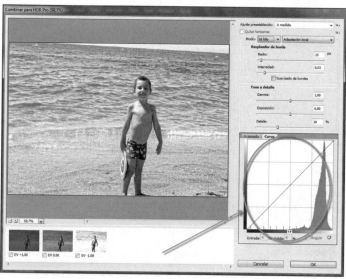

Figura 13.11. Modificar la curva para variar el contraste general sobre la imagen.

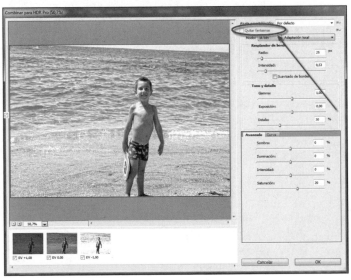

Figura 13.12. Opción Quitar fantamas.

Una vez finalizados los ajustes haga clic en **OK** para abrir la imagen generada en el entorno de Photoshop y trabajar con ella.

Gestión de imágenes con Bridge

14.1. Introducción

Cuando estamos trabajando con aplicaciones de la talla de Photoshop, InDesign o Illustrator no es suficiente con el típico comando **Abrir**, necesitamos una herramienta que permita trabajar de forma cómoda y sencilla con grandes cantidades de archivos, conocer sus propiedades, que ofrezca ciertas capacidades de organización, previsualización, etcétera. Adobe Bridge es una herramienta fácil de utilizar que ofrece innumerables posibilidades como veremos a lo largo de este capítulo. En la figura 14.1 podemos comprobar su aspecto.

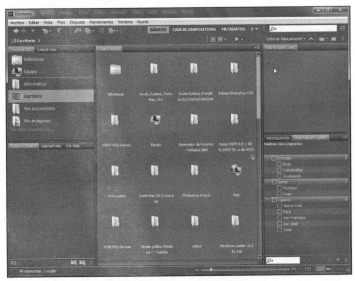

Figura 14.1. Adobe Bridge.

Después de ver por primera vez el entorno de Adobe Bridge debemos reconocer el gran trabajo realizado por los informáticos de Adobe, ya que el aspecto de la aplicación es impresionante, al tiempo que resulta muy intuitiva y eficaz en el día a día.

> **Nota:** *Adobe Bridge es en realidad una aplicación independiente, pero que se encuentra estrechamente vinculada a todos los componentes de Adobe Creative Suite.*

14.2. Primeros pasos con Adobe Bridge

Para abrir Adobe Bridge tenemos varias opciones, una de ellas es utilizar el comando Archivo>Buscar en Bridge de Photoshop. Otra forma sería utilizar su propia entrada situada en el menú Inicio>Todos los programas. Por último, el atajo de teclado disponible en Photoshop para abrir Adobe Bridge es **Alt-Control-O**.

> **Nota:** *Tanto si ha instalado Adobe Creative Suite o simplemente Photoshop, la aplicación Bridge será uno más de los elementos que incorpora este paquete integrado de diseño.*

Antes de entrar en detalle sobre las posibilidades de Adobe Bridge conozcamos el significado de los distintos elementos que componen su entorno. En este caso, hemos tomado como referencia la situación por defecto de cada uno de ellos:

- En la esquina superior izquierda encontraremos dos paneles: Favoritos y Carpetas. El primero contiene accesos directos a elementos típicos como Equipo, Escritorio, Mis documentos, Bibliotecas... En segundo lugar, el panel Carpetas, muestra la estructura de directorios del sistema.

- Justo bajo la ventana anterior podrá ver el panel Filtro. Este elemento será de gran ayuda a la hora de localizar documentos con Adobe Bridge. Se trata de una característica realmente potente y bastante sencilla de utilizar. Observe en la figura 14.2 la lista de criterios de filtrado disponible. En esta misma ubicación se encuentra el panel Colecciones que nos permitirá crear nuestras propias agrupaciones de imágenes siguiendo determinados criterios.

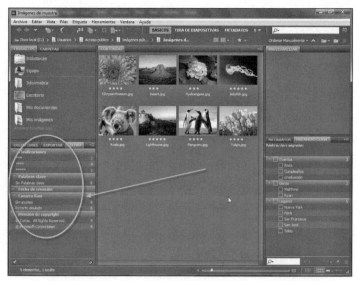

Figura 14.2. Criterios disponibles en el panel Filtro.

- En la esquina superior derecha se encuentra el panel Previsualizar que mostrará el aspecto del documento seleccionado en cada momento. Como es lógico no todos los documentos admiten esta característica.

- Bajo el panel anterior aparecen los paneles de información. El primero de ellos, denominado Metadatos, muestra mucha más información de la que podamos necesitar en la mayoría de los casos, sobre todo si la imagen incluye datos en formato EXIF. El segundo panel, denominado Palabras clave, permite añadir términos que hagan referencia al contenido de la imagen con el objeto de facilitarnos su posterior localización. Sin duda, es un complemento muy útil cuando nuestra biblioteca de imágenes alcanza un número considerable de archivos.

- Por último, la zona más amplia situada en el centro de la aplicación muestra el contenido de la carpeta seleccionada. Podemos configurar fácilmente el aspecto y la información de los archivos que muestra esta ventana eligiendo cualquiera de los botones situados en la esquina inferior derecha de la ventana de Adobe Bridge. En la figura 14.3 hemos resaltado estos botones para que no tenga problemas a la hora de localizarlos.

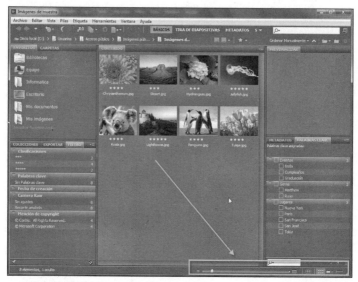

Figura 14.3. Botones de configuración para la visualización de archivos en Adobe Bridge.

> *Truco: Utilice la tecla **Tab** para ocultar temporalmente todos los paneles y mostrar únicamente el contenido de la carpeta seleccionada. Esta misma tecla servirá para recuperar el aspecto original de Bridge. También puede utilizar el pequeño icono situado en la esquina inferior izquierda de la ventana para ocultar o mostrar los paneles.*

El entorno de Adobe Bridge es completamente modular y por tanto, personalizable. Con esto queremos decir que los paneles se pueden cambiar de ubicación y redimensionar sin problemas, para adaptar la configuración del entorno a nuestras necesidades. Para cambiar la posición de un panel, haga clic en su etiqueta y arrastre hasta colocarlo donde desee. Si lo que necesita es cambiar sus proporciones, sitúe el cursor en algún extremo y arrastre.

> *Nota: Sobre el significado y uso de la información EXIF hablaremos en este mismo capítulo.*

Si desea tener una vista previa ampliada de cualquier documento que lo permita: archivos pdf, imágenes, documentos de texto, etcétera, haga clic sobre el archivo en el panel Contenido para seleccionarlo y después, utilice la combinación de teclas **Control-L**. El aspecto de Bridge tras realizar estos pasos será similar al que puede ver en la figura 14.4.

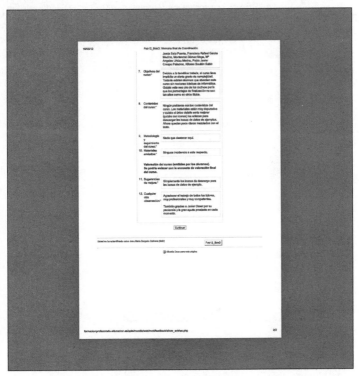

Figura 14.4. Vista previa ampliada de un documento PDF en Adobe Bridge.

14.3. Adobe Bridge en el arranque

Si nuestro sistema operativo es Windows, estaremos acostumbrados a la ventana que aparece cada vez que conectamos un dispositivo: memorias USB, cámaras digitales, MP3...

Si hemos instalado Photoshop Creative Suite, una de las posibilidades que aparecerá en esta ventana será Adobe Bridge como puede comprobar en la figura 14.5. Esto nos permitirá explorar el contenido del dispositivo aprovechando toda la potencia de Bridge.

Figura 14.5. Adobe Bridge entre las opciones disponibles tras la conexión de un nuevo dispositivo.

14.4. Trabajar con Adobe Bridge

La forma de utilizar Bridge es muy sencilla e intuitiva. En los paneles Carpetas o Favoritos seleccione la ubicación de los archivos. Tras unos segundos, la ventana principal mostrará el contenido. Después seleccione la imagen que desee para que el programa abra una vista en miniatura de la misma e información sobre sus características.

Hasta aquí nada nuevo, pero tal como ya comentamos al principio, Adobe Bridge permite muchas más posibilidades. Veamos las más importantes:

- Haga clic con el botón derecho sobre cualquier archivo para mostrar el menú contextual asociado. Entre las opciones disponibles encontraremos el comando Abrir con. Con él, podremos abrir el archivo en la aplicación predeterminada, en nuestro caso Photoshop, o bien en cualquier otra aplicación instalada del paquete Adobe Creative Suite.

- También entre las opciones que aparecen después de hacer clic con el botón derecho sobre alguna imagen, se encuentra el comando Mostrar en Explorer, cuya función no es otra que abrir el Explorador de Windows para indicar la ubicación exacta donde se encuentra el archivo.
- Si creemos que vamos a utilizar un gráfico con mucha frecuencia, por ejemplo, logotipos, es posible incluirlo en le panel Favoritos con tan sólo hacer clic con el botón derecho sobre él y luego elegir el comando Añadir a Favoritos.
- Mantenga pulsada la tecla **Control** o **Mayús** para seleccionar más de un archivo al mismo tiempo y realizar operaciones sobre ellos. Si lo desea puede utilizar los comandos Seleccionar todo, Anular selección o Invertir selección situados en el menú Editar. Otro método sería hacer clic y arrastrar con el ratón en algún espacio vacío del panel Contenido para describir un área donde englobaríamos los elementos que deseamos seleccionar como puede ver en la figura 14.6.
- Para eliminar una o más imágenes, selecciónelas primero y luego pulse la tecla **Supr** o elija el comando Eliminar incluido entre las opciones del botón derecho.

Figura 14.6. Describir área de selección en Adobe Bridge.

- Los comandos disponibles para rotar el gráfico o los gráficos seleccionados se encuentran tanto en los iconos situados en la parte superior de la ventana del programa como entre las opciones del menú Editar.

- Otra opción interesante es la posibilidad de cambiar los nombres de todos los archivos existentes en una ubicación determinada de manera automática. En este caso, el comando que debe elegir en el menú Herramientas es Cambiar nombre de lote. Veremos las posibilidades de este cuadro de diálogo en el siguiente apartado.

- Los criterios para ordenar las imágenes que aparecen en el área de previsualización son muchos y variados, tal y como se muestra en la figura 14.7. Para comprobarlo despliegue el menú Vista>Ordenar. También veremos cómo es posible mejorar este aspecto mediante el uso de etiquetas.

- Uno de los elementos que más sorprenden de Bridge es sin lugar a dudas el panel denominado Filtro. Con él será mucho más cómodo localizar y aislar imágenes dentro de grandes volúmenes de archivos. En los siguientes apartados trataremos la forma de aprovechar sus posibilidades.

Figura 14.7. Criterios de ordenación disponibles en el comando Ordenar del menú Vista.

> **Truco:** *El deslizador situado en la parte inferior de la ventana permite cambiar el tamaño de visualización de los iconos en el panel* Contenido.

14.4.1. Buscar

En un programa de gestión de archivos, no podemos olvidar las funciones de búsqueda. Seleccione el comando Buscar situado en el menú Editar y al instante tendrá acceso al cuadro de diálogo del mismo nombre.

En la primera sección debe indicar la localización exacta donde buscar los archivos y en la segunda, introducir criterios de búsqueda como la fecha de creación, el tipo de archivo, las palabras clave, etcétera.

Una vez hecho todo esto, indique si quiere que empiece, termine, contenga o no contenga el término que escriba a la derecha.

En el cuadro de diálogo Buscar, a la derecha del término de búsqueda se encuentra un icono que muestra un signo más en su interior.

Al hacer clic sobre él aparece una nueva línea de criterios para ajustar todo lo posible la búsqueda. Por ejemplo, si quisiéramos localizar los archivos creados entre el 1/1/2011 y 12/1/2012 el aspecto del cuadro de diálogo de búsqueda sería el que muestra la figura 14.8. Photoshop permite utilizar hasta 12 líneas de criterios adicionales.

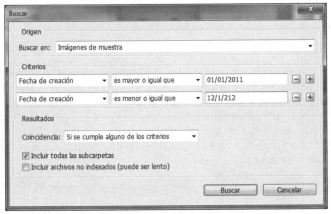

Figura 14.8. Cuadro de diálogo Buscar con criterios.

14.4.2. Lotes

El comando **Cambiar nombre de lote** situado en el menú **Herramientas** muestra el cuadro de diálogo que aparece en la figura 14.9.

En él encontramos opciones muy sencillas e intuitivas, simplemente tendremos que decidir qué hacemos con los archivos después de cambiarles el nombre: dejarlos en la misma ubicación, moverlos o copiarlos. Después, en la sección **Nuevos nombres de archivos** debemos buscar la mejor combinación para renombrarlos.

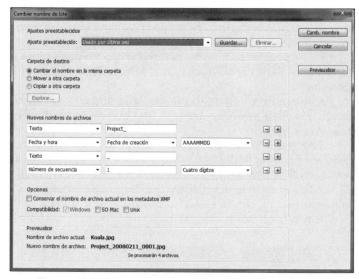

Figura 14.9. Cuadro de diálogo Cambiar nombre de lote.

Los pequeños botones **Más** y **Menos** permiten añadir nuevas líneas de composición para conseguir el nombre adecuado para nuestros archivos. Luego, puede observar en la sección **Previsualizar** el nombre actual del archivo y la nueva denominación que tomará después de ejecutar el comando. También informa sobre el número de archivos implicados en el proceso de renombrado.

> *Nota: Si tiene pensado utilizar los archivos en otros sistemas como Mac OS o Linux active las casillas de compatibilidad con estos formatos en la sección* **Opciones**.

14.4.3. Filtro

Como hemos comentado, el panel **Filtro** es un elemento fundamental de Adobe Bridge debido a que mientras más elementos acumulamos en nuestro sistema más difícil será localizar cualquier imagen, foto o archivo entre los cientos almacenados en nuestros discos duros. En este tipo de situaciones es donde podemos obtener realmente todo el provecho de Bridge.

Tal y como podemos ver en la figura 14.10, el panel **Filtro** hace gran parte del trabajo automáticamente y después de clasificar la información de la carpeta seleccionada, la divide en categorías.

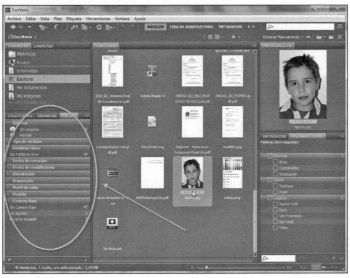

Figura 14.10. Panel Filtro.

A continuación describimos las más importantes:

- **Tipo de archivo:** Muestra un recuento de todos los tipos de archivos disponibles en la carpeta elegida: RAR, JPEG, Documentos de Word, etcétera.
- **Palabras clave:** Aunque trataremos esta característica con más detalle en el siguiente apartado, adelantamos que las palabras clave son términos asociados a documentos que tienen como propósito ayudar a localizar y a clasificar todo tipo de información.

- **Fecha de creación:** El criterio de clasificación de esta sección es la fecha de creación de los documentos que están seleccionados.

- **Fecha de modificación:** Igual que el punto anterior, pero referida a la fecha en la que se modificó por última vez el archivo.

- **Orientación:** Divide los documentos en aquellos que están orientados verticalmente y los que se muestran en horizontal.

- **Proporción:** Muestra los documentos según su relación de tamaño.

- **Índices de velocidad ISO:** La velocidad ISO con la que fue tomada originalmente la imagen será la información que utilice el panel Filtro en esta sección para enumerar los archivos seleccionados.

- **...y mucho más:** Las posibilidades de Bridge no terminan aquí, puesto que si la selección o la carpeta que estamos explorando incluye únicamente fotografías tendremos criterios de selección tan interesantes como el valor de apertura, la distancia focal o bien el tiempo de exposición.

Los diferentes criterios que aparecen en las categorías del panel Filtro se forman dinámicamente en función del contenido de la carpeta seleccionada.

Es decir, si en la ubicación elegida existen archivos de imagen en formato JPEG y PNG esos serán entonces los criterios de selección que mostrará la sección Tipo de archivo del panel Filtro.

Tampoco aparecerán siempre las mismas categorías, todo dependerá de los diferentes tipos de archivos disponibles y de sus características.

La forma de utilizar las diferentes clasificaciones del panel Filtro es realmente simple.

En primer lugar a la izquierda del nombre de cada categoría se encuentra un pequeño icono que permite ocultar o mostrar su contenido.

A partir de aquí será suficiente con hacer clic sobre alguno de los criterios para mostrar sólo aquellos elementos que lo cumplen. Por ejemplo, si necesita que el panel principal muestre sólo archivos de tipo PDF haga clic en este tipo de archivo y el resultado será similar al que puede ver en la figura 14.11. Como puede comprobar, Bridge coloca una pequeña marca a la izquierda del criterio utilizado.

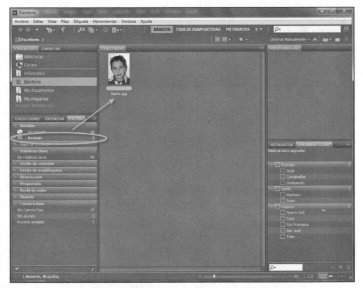

Figura 14.11. Criterio seleccionado en el panel Filtro.

> *Nota: Puede elegir tantos criterios como quiera hasta encontrar la fórmula exacta para mostrar sólo aquellos archivos que desee. Una vez realizada la selección, recuerde que puede hacer clic con el botón derecho sobre cualquier espacio vacío en el panel* **Contenido***, y seleccionar el comando* **Ordenar** *para mejorar la búsqueda.*

Aquí no terminan las ventajas del panel Filtro. Imagine que ha completado un criterio de búsqueda y ya tiene localizado los archivos que necesita.

Ahora desea examinar otras capetas, pero no quiere perder el trabajo ya realizado de modo que cuando vuelva a la primera carpeta el criterio se mantenga. La solución se encuentra en el pequeño icono situado en la parte inferior izquierda del panel representado por una tachuela, como puede ver en la figura 14.12. Si lo activa después de realizar un criterio de filtrado, estos ajustes se mantendrán aunque examinemos otras ubicaciones del equipo.

Para desbloquear los archivos filtrados, use el icono **Borrar filtro** situado en la esquina inferior derecha del panel o si lo prefiere, utilice la combinación de teclas **Control-Alt-A** que lleva a cabo el mismo trabajo.

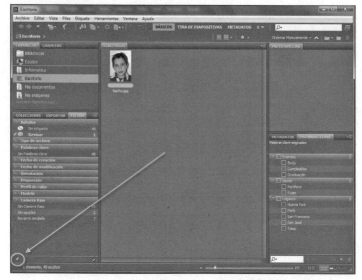

Figura 14.12. Icono Conservar filtro.

Truco: Otra forma de ordenar archivos en Bridge es utilizar el comando **Ordenar Manualmente** *situado en la parte superior de la ventana de aplicación como puede comprobar en la figura 14.13. Además, a la derecha de este comando se encuentra un pequeño icono que permite ordenar de forma ascendente o descendente los archivos del panel* **Contenido**, *según el criterio utilizado en cada momento con un solo clic de ratón.*

14.4.4. Etiquetas, clasificaciones y rótulos

Las etiquetas son un buen método para clasificar nuestras imágenes siguiendo dos criterios básicos, por un lado tenemos una serie de nombres predeterminados: Seleccionar, Segundo, Aprobado, Revisar y Pendiente y asociado a cada uno de ellos, un color. Por otra parte existe la posibilidad de asignar un número de estrellas que servirán para asignar mayor o menor importancia a cada documento. Por ejemplo, podríamos utilizar el color verde para todas aquellas imágenes relacionadas con viajes y después dentro de este grupo, utilizar el código de estrellas para marcar las que más nos gusten. La forma de llevar a cabo esta clasificación es muy sencilla:

Figura 14.13. Comando Ordenar manualmente.

1. Seleccione la imagen o imágenes a las que quiere asignar alguna de las etiquetas predeterminadas con su código de color asociado.

2. Después, en el menú Etiqueta, haga clic sobre el rótulo más apropiado en cada caso: Seleccionar, Segundo, Aprobado, Revisar o Pendiente.

3. A continuación, para poder asociar un número de estrellas determinado, utilice también el menú Etiqueta, pero en este caso, fijándonos en las opciones del primer bloque.

Una vez hecho esto, el panel Filtro mostrará una nueva categoría llamada Rótulos. A partir de ahora utilice este método de clasificación para mostrar sólo las imágenes que le interese en cada caso, como puede ver en la figura 14.14.

Si lo desea puede cambiar el nombre asociado al color de cada una de las etiquetas disponibles. Para ello, seleccione el comando Preferencias situado en el menú Editar de Adobe Bridge. Una vez abierto el cuadro de diálogo, seleccione en el margen izquierdo la categoría Rótulos para mostrar las posibilidades de configuración que se indican en la figura 14.15. A partir de aquí, para cambiar el nombre basta con hacer clic sobre él y escribir el título que desee utilizar.

Figura 14.14. Nuevas categorías Rótulos.

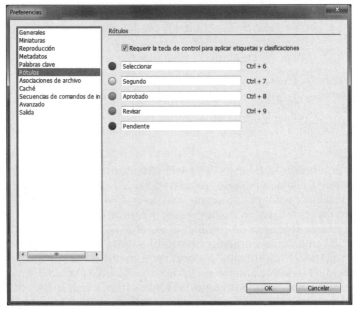

Figura 14.15. Configuración por defecto
para etiquetas en Adobe Bridge.

Nota: Personalmente creemos que los títulos por defecto vinculados a los diferentes colores disponibles no son los más adecuados. Le recomendamos que personalice este aspecto del programa utilizando otros más apropiados según sus necesidades.

Como verá, resulta muy útil y sencillo utilizar las etiquetas como método de clasificación. Sobre todo, si se tiene en cuenta la facilidad con la que se acumulan fotografías con dispositivos como las cámaras digitales o escáneres; aunque debe tener presente que Bridge gestiona todo tipo de archivos y no sólo documentos gráficos.

Truco: Una forma rápida y sencilla de aplicar etiquetas sobre un archivo es hacer clic sobre él con el botón derecho y seleccionar el comando Etiqueta *dentro del menú emergente que aparece.*

14.4.5. Palabras clave

Las palabras clave son otro importante elemento dentro de las posibilidades de clasificación de Bridge y por supuesto, mucho más completo que las etiquetas. Concretamente podemos asociar cualquier término a nuestros documentos: Cumpleaños, Boda, Verano 2014, etcétera, y de esta forma será suficiente con utilizar estas palabras para localizar rápidamente todos los archivos relacionados. El panel Palabras clave ofrece una estructura por defecto. Pero lo mejor será tener nuestras propias palabras clave para personalizar todo lo posible Bridge de acuerdo con nuestras necesidades. Tanto para crear nuevas palabras clave principales como secundarias (asociadas a una palabra clave ya creada) debe recurrir al menú asociado al panel que puede ver en la figura 14.16.

Nota: Nuestra recomendación es que dedique algunos minutos a pensar la mejor forma de clasificar sus documentos antes de empezar a añadir palabras clave y categorías indiscriminadamente. Seguro que es un tiempo bien empleado.

Una vez creadas las palabras clave, bastará con seleccionar el archivo o archivos sobre los que quiere aplicar cualquiera de ellas y hacer clic en la pequeña casilla de verificación situada a la izquierda de su nombre.

Figura 14.16. Menú asociado al panel Palabras clave.

> *Truco: En la parte inferior del panel existe un pequeño icono (signo más) que le permitirá añadir palabras clave o palabras clave secundarias sin necesidad de recurrir al menú asociado al panel.*

14.4.6. Pilas

Las pilas permiten agrupar varios archivos y mostrar un único icono o miniatura que lo represente. Para entender mejor el propósito de esta característica, en la figura 14.17, hemos creado una pila con varias imágenes. Como puede comprobar, Bridge le asigna un aspecto distinto a este tipo de elementos y además muestra el valor correspondiente al número de elementos que contiene la pila.

> *Truco: El atajo de teclado **Control-G** permitirá crear rápidamente una pila a partir de los archivos seleccionados.*

Para crear una pila, simplemente tiene que seleccionar los archivos que desea incluir en ella y elegir el comando Agrupar como pila del menú Pilas. Si quiere volver a dividir los elementos de la pila, debe seleccionar el comando Desagrupar de la pila en este mismo menú.

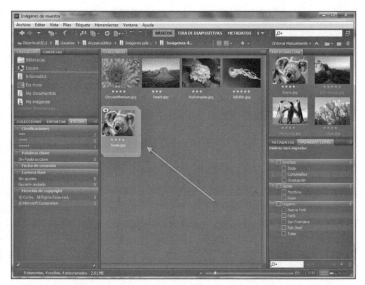

Figura 14.17. Pila de archivos creada en Adobe Bridge.

Si desea acceder al contenido de una pila, utilice el comando Abrir pila del menú Pilas, o el atajo de teclado **Control-Flecha derecha**. El aspecto de la pila después de abrirla será similar al que muestra la figura 14.18. Para dejarla de nuevo agrupada, el comando asociado al menú emergente se denomina Cerrar pila y el atajo de teclado **Control-Flecha izquierda**.

> **Nota:** *Si quiere abrir todas las pilas situadas en la ubicación seleccionada, haga clic en el comando* Expandir todas las pilas *del menú* Pilas.

14.5. Espacios de trabajo

En más de una ocasión hemos comentado la flexibilidad que nos proporciona el entorno de Adobe Bridge. Para completar todos los conocimientos adquiridos queremos que conozca el propósito de las etiquetas que aparecen en la parte superior de la ventana de Adobe Bridge llamadas BÁSICOS, TIRA DE DIAPOSITIVAS, METADATOS, SALIDA y más... Cada una de ellas se corresponde con un espacio de trabajo disponible en Bridge.

Figura 14.18. Pila abierta.

- El primero de ellos, **BÁSICOS**, mostrará siempre el entorno de Bridge por defecto. Lo podemos utilizar cuando estemos en algún otro modo y deseemos recuperar la configuración predeterminada de la aplicación.
- El espacio de trabajo llamado **TIRA DE DIAPOSITIVAS**, divide el panel Vista previa en dos mitades. En la parte inferior aparecen todos los archivos disponibles en la ubicación seleccionada y en la parte superior se muestra una vista ampliada del que se encuentre activo en cada momento.
- El tercero de los botones muestra el entorno del programa con el aspecto que puede ver en la figura 14.19. Este modo da prioridad a la información asociada a cada uno de los archivos.
- El cuarto espacio, **SALIDA**, es muy interesante ya que permite conocer un buen número de detalles sobre cualquier archivo, si bien es cierto que está pensado sobre todo para fotografías. A la derecha aparecen los paneles Documento, Composición, Reproducción... con gran cantidad de información sobre el elemento seleccionado.
- A la derecha de la opción **SALIDA** se encuentra un pequeño icono que al seleccionarlo nos mostrará estos nuevos espacios de trabajo diferentes: PALABRAS CLAVE,

PREVISUALIZAR, MESA DE LUZ y CARPETAS. Uno de los más interesantes sería MESA DE LUZ cuyo propósito es el mismo que conseguimos si pulsamos la tecla **Tab** en cualquier momento mientras trabajamos con Bridge.

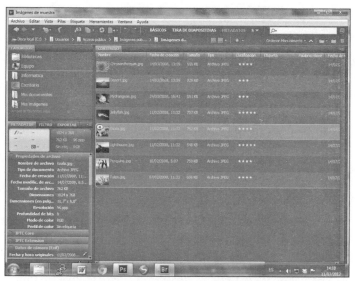

Figura 14.19. Espacio de trabajo METADATOS.

> *Truco: La combinación de teclas **Control-F1** devolverá el entorno de Adobe Bridge a la situación por defecto, colocando todos los paneles en su ubicación predeterminada.*

Para terminar con los espacios de trabajo preste atención al regulador situado en la parte inferior de la ventana de la aplicación. Con él podrá aumentar o reducir el tamaño de las miniaturas en el panel Contenido.

14.6. Bloquear elementos

Adobe Bridge permite bloquear ciertos elementos para evitar que puedan ser manipulados por error. Para bloquear uno o varios archivos, en primer lugar debe seleccionarlos en el panel Contenido. Una vez hecho esto, haga clic con el botón derecho sobre la selección para mostrar el menú emergente y seleccionar el comando **Bloquear elemento** o **Bloquear todos los elementos** según hayamos seleccionado uno o más archivos. Para desbloquear cualquier elemento, repita la operación anterior pero esta vez deberá seleccionar el comando **Desbloquear elemento**.

> *Truco: Adobe Bridge también permite bloquear los elementos agrupados como pilas.*

14.7. Metadatos, información EXIF

No existe ninguna duda sobre la popularización de las cámaras de fotografía digitales en los últimos años. El formato EXIF, adoptado por prácticamente todos los fabricantes, permite guardar información relativa a cada imagen, ya sea la habitual como el nombre y la fecha, o específicas como la velocidad de obturación, exposición, tipo de cámara, distancia focal, etcétera. Adobe Bridge reconoce el formato EXIF y muestra toda la información asociada a las imágenes que se toman con cámaras digitales, y la mostrará en el panel Metadatos.

> **Nota:** *Las posibilidades del panel* Metadatos *no terminan en el reconocimiento del formato EXIF, también muestra información de archivos RAW o de imágenes procedentes de dispositivos GPS para los que podremos ver datos como latitud, longitud y altitud.*

14.8. Funciones interesantes desde la barra de acceso directo de Bridge

En esta nueva versión de Bridge, Adobe ha incorporado en la parte superior derecha de su interfaz una serie de accesos directos que pueden ayudar a realizar determinadas tareas. Algunas de ellas tan interesantes como crear un documento PDF con imágenes previamente seleccionadas o incorporar fotografías directamente a Bridge desde la cámara digital. En la figura 14.20 puede comprobar el aspecto y la situación de esta barra de acceso directo.

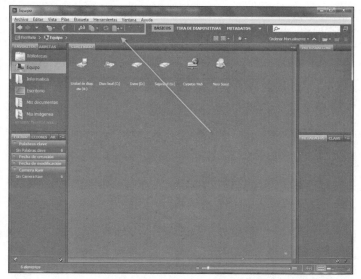

Figura 14.20. Nuevos accesos directos en Bridge.

Comenzando desde el elemento situado más a la izquierda, las dos pequeñas flechas permitirán navegar por las ubicaciones visitadas desde la ventana de exploración de Bridge. A la derecha de estas dos flechas se encuentra un pequeño icono que mostrará ubicaciones típicas como Equipo, MisDocumentos, etcétera. Del siguiente elemento no tenemos mucho que decir, simplemente muestra las imágenes, los documentos o la carpeta que hayamos utilizado más recientemente.

Para terminar con el primer grupo de iconos, tenemos uno representado por un pequeño boomerang. Al hacer clic sobre este elemento volveremos a la interfaz de Photoshop. Sí, seguro que piensa que para eso ya están atajos de teclado como el típico **Alt-Tabulador** o la misma barra de tareas. Pero cuando tenga varias aplicaciones abiertas o simplemente tan sólo le apetezca usar el ratón, éste puede ser un buen atajo.

14.8.1. Obtener imágenes desde la cámara digital

El icono **Obtener imágenes desde cámara** puede ser una buena forma de tener organizada su biblioteca de imágenes o simplemente de recuperar alguna instantánea para tratarla en

Photoshop. Conecte su cámara al ordenador y haga clic sobre el icono que hemos resaltado en la figura 14.21 para mostrar el cuadro de diálogo Utilidad de descarga de fotografías.

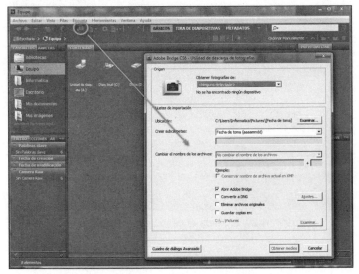

Figura 14.21. Icono de acceso a la Utilidad de descarga de fotografías.

A partir de aquí la forma de actuar sería la siguiente:

1. En la lista desplegable Obtener fotografías de, seleccione el dispositivo del cual desea recuperar las imágenes.
2. A continuación haga clic sobre el botón **Ubicación** para seleccionar el lugar donde se copiarán los archivos. El desplegable Crear subcarpetas ofrece varias posibilidades para tener organizadas nuestras fotografías. Seleccione la que le parezca más adecuada.
3. En Cambiar el nombre de los archivos puede acabar de una vez por todas con los extraños nombres que los fabricantes de cámaras digitales utilizan para nombrar nuestras capturas. Si quiere un consejo, la fecha suele ser una de las mejores opciones para tener organizadas las fotos.

A partir de aquí, pulse el botón Obtener medios para recuperar sin más todas las imágenes almacenadas de la cámara. Ahora bien, si lo que necesita es seleccionar sólo algunas instantáneas, haga clic en el botón **Cuadro de diálogo avanzado** para acceder a nuevas posibilidades como puede ver en la figura 14.22.

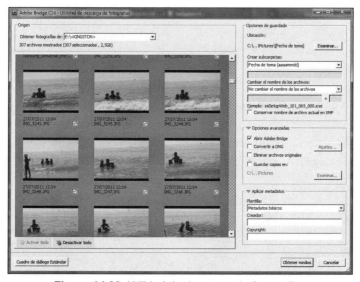

Figura 14.22. Utilidad de descarga de fotografías en modo avanzado.

Una vez en el modo avanzado, puede hacer clic sobre la casilla situada en la esquina inferior derecha de cada imagen para seleccionar las que desea importar. También dispone de los botones **Activar todo** y **Desactivar todo**, o puede utilizar las teclas **Control** y **Mayús** para seleccionar varias imágenes al mismo tiempo.

> *Truco: La sección* Metadatos *situada en la parte inferior derecha del cuadro de diálogo permite añadir información adicional a las imágenes importadas.*

14.8.2. Modo revisión

El modo revisión permite realizar una comprobación cómoda y sencilla de los elementos que aparecen en el panel Contenido. Después de hacer clic sobre el icono **Ajustar** y seleccionar en el desplegable la opción Modo revisión la interfaz se vuelve tan espectacular como puede ver en la figura 14.23. A partir de aquí lo más cómodo es utilizar las teclas del cursor izquierda y derecha para ir mostrando en primer plano cada una de las diferentes imágenes.

Figura 14.23. Modo revisión.

> *Truco:* El atajo de teclado Control-B le permitirá entrar en el modo revisión desde Bridge más rápido.

Una vez situada la imagen en la zona central, Bridge la amplía para que podamos observar con mayor claridad todos sus detalles. En este momento tenemos la posibilidad de realizar diferentes acciones:

- Haga clic sobre la flecha abajo del cursor para descartar la imagen. De esta forma desaparecerá del modo revisión y no aparecerá seleccionada en el panel Contenido cuando volvamos a Bridge.
- Al hacer clic en la imagen, se activa el modo lupa para ampliar la zona de la imagen en la que se encuentra el cursor.
- Utilice el botón derecho del ratón sobre la imagen para aplicar etiquetas o clasificar la imagen seleccionada. También en este menú contextual encontrará comandos para rotar la imagen o simplemente abrirla.

Tras revisar las imágenes y descartar aquellas que no quiere usar o no le interesan, pulse la tecla **Esc** o utilice el icono representado por una pequeña "x" situado en la esquina inferior derecha de la ventana para salir del modo revisión.

Al cerrar la ventana de trabajo, compruebe como aparecen seleccionadas todas aquellas imágenes que no ha descartado en el modo revisión.

Como idea, podría crear una pila con ellas para trabajar en grupo o simplemente abrirlas en Photoshop para tratarlas y mejorarlas. También puede crear una colección para tener mejor organizadas sus instantáneas. La forma de hacerlo sería la siguiente:

1. Haga clic en el panel Colecciones para seleccionarlo y que Bridge lo muestre en primer plano.
2. En la parte inferior, seleccione el icono **Colección nueva**. Antes de hacerlo compruebe que las imágenes que ha revisado siguen seleccionadas en el panel Contenido.
3. Bridge le preguntará ahora si quiere incluir en la nueva colección las imágenes que están seleccionadas; responda que sí.

> **Truco:** *Desde el modo revisión también es posible crear una nueva colección. En este caso, una vez descartadas las imágenes que no quiere utilizar, utilice el icono que hemos resaltado en la figura 14.24. En ese momento Bridge cerrará la ventana de revisión y volverá al entorno del programa donde deberá asignar un nombre a la nueva colección.*

14.8.3. Crear un documento PDF

Personalmente esta nueva utilidad de Bridge me encanta y me resulta realmente útil. Se trata de la posibilidad de seleccionar una o más imágenes y crear con ellas un documento PDF. A partir de aquí, podemos enviarlo por correo electrónico, imprimirlo, etcétera.

La forma de hacerlo también es muy sencilla, basta con seleccionar los archivos en el panel Contenido y hacer clic en el icono **Enviar** como muestra la figura 14.25. En ese instante, el espacio de trabajo cambia al modo **SALIDA**, mostrando en su espacio central el panel Previsualizar con las imágenes seleccionadas y a la derecha todo un extenso abanico de posibilidades de configuración que permite este comando.

Figura 14.24. Icono para crear una colección desde la ventana de revisión.

Figura 14.25. Situación del icono Enviar y aspecto del espacio de trabajo después de utilizarlo.

Resumiendo mucho, preste atención en primer lugar a las dos primeras opciones que muestra el panel Salida: **PDF** y **GALERÍA WEB**.

Con ellas puede generar tanto un documento PDF con las imágenes seleccionadas como una página Web en formato HTML para colocarla directamente en Internet o en cualquier servidor Web.

A la hora de generar el documento PDF, las opciones son muy extensas pero quizás las más importantes se encuentren en las secciones Documento y Composición. En ellas deberá elegir el tamaño del papel, la distribución en filas y columnas de las imágenes, el espacio entre cada una de ellas, etcétera. Una vez hecho todo esto haga clic sobre el botón **Guardar** para completar el proceso.

En la figura 14.26 puede ver un ejemplo del resultado que podemos obtener con este potente comando.

Figura 14.26. Documento PDF con varias imágenes creado desde Bridge.

Nota: Para volver al espacio de trabajo por defecto, haga clic en la opción BÁSICOS *situada en la parte superior de la aplicación.*

14.9. Mini Bridge

Mini Bridge es una extensión de Bridge que se integra en el entorno de Photoshop y se alimenta de... ¡Bridge! Su simbiosis con la interfaz de la aplicación es tal que se comporta como una paleta más. Observe en la figura 14.27 su situación por defecto y el aspecto de este elemento una vez abierto. Como puede comprobar, su apariencia no es distinta a la de cualquier otra paleta del programa, de hecho, podemos hacer lo mismo que con ellas: agruparla, reducirla a icono, moverla, etcétera.

Figura 14.27. Mini Bridge.

Una vez abierta la paleta, y después de hacer clic sobre la opción Equipo, Mini Bridge se conectará con Bridge y tendrá acceso a los contenidos tanto de nuestro equipo como a los catalogados específicamente en Bridge.

Por ejemplo:

- Utilice la barra de navegación superior si conoce la ubicación exacta de los archivos que necesita. Haga clic en el pequeño icono situado a la derecha del nombre de la ubicación para mostrar su contenido.

- El cuadro de texto **Buscar**, situado en la esquina superior derecha del panel, permite localizar archivos por su nombre. En la figura 14.28 resaltamos su ubicación.

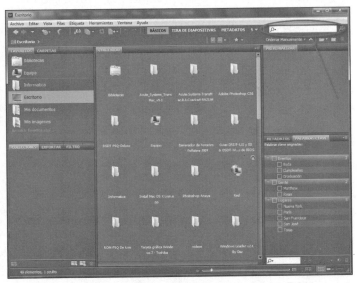

Figura 14.28. Cuadro de texto Buscar en Adobe Bridge.

- Las entradas Carpetas recientes y Archivos recientes son muy útiles para recuperar los últimos archivos o carpetas utilizados.
- Las colecciones son el método perfecto para nuestras imágenes. Desde Mini Bridge puede acceder a ellas.
- El icono **Ordenar** se encuentra situado encima de la opción Equipo, y criterios como la fecha de creación, modificación o el tamaño.

Truco: Si el volumen de información que muestra la sección Contenido *resulta demasiado extenso, puede utilizar el botón* Filtro *para mostrar sólo los elementos que cumplan ciertas condiciones. El único inconveniente es que para que esta característica sea realmente útil previamente sería necesario etiquetar las imágenes en Bridge.*

El objetivo planteado para este capítulo era dar a conocer las características principales de Bridge, una de las aplicaciones más completas del conjunto Adobe Creative Suite. Bridge está vinculado a todos los programas de la suite permitiendo gestionar de manera sencilla e intuitiva grandes volúmenes de información.

La clasificación de archivos, palabras clave, filtros, todo está pensado para que no tenga problemas a la hora de trabajar con grandes cantidades de documentos.

Complementos

15.1. Introducción

Además de todo lo visto hasta ahora, Photoshop incluye una serie de herramientas que pueden hacernos la vida mucho más sencilla o simplemente ofrecernos nuevas posibilidades. En este capítulo trataremos algunas de las utilidades que hemos creído más interesantes.

15.2. Procesador de imágenes

Este comando es realmente interesante y creemos que le puede resultar de gran ayuda en más de una ocasión. Su propósito es automatizar el proceso de modificación de formato o cualquier otra característica de varias imágenes al mismo tiempo. Suponga que dispone de una carpeta con varias fotografías y necesita cambiar su formato. Pues bien, puede abrir una a una e ir aplicando los ajustes necesarios o mucho mejor, utilizar el Procesador de imágenes y realizar todo el trabajo de una sola vez.

Seleccione Archivo>Secuencias de comandos>Procesador de imágenes para acceder al cuadro de diálogo que puede ver en la figura 15.1 y que se encuentra dividido en cuatro secciones numeradas. Cada uno de estos números nos invita a seguir la secuencia lógica para trabajar con el comando y sería la siguiente:

1. En primer lugar podemos elegir entre usar las imágenes que tenemos abiertas en el programa o hacer clic en el botón **Seleccionar carpeta** para seleccionar un directorio y procesar todos los archivos incluidos en él.

2. El segundo de los puntos permite guardar las imágenes una vez procesadas en la misma ubicación original o seleccionar una distinta si utilizamos el botón **Seleccionar carpeta**.

3. La tercera de las secciones dispone de tres posibilidades para elegir el formato de destino. Además, para cada una de ellas podemos elegir el tamaño resultante, la calidad, la compatibilidad y la compresión, según la opción elegida en cada caso.

4. Por último, y casi lo más importante, tenemos la posibilidad de aplicar cualquier ajuste al archivo mediante las acciones de Photoshop. Las acciones equivalen a las macros de programas tan conocidos como Word o Excel y permiten agrupar varias tareas de optimización, ajuste o corrección de modo que podamos aplicarlas todas de una sola vez. En el caso del comando **Procesador de imágenes** podemos usar las ventajas que ofrecen las acciones y aplicarlas sobre las imágenes seleccionadas.

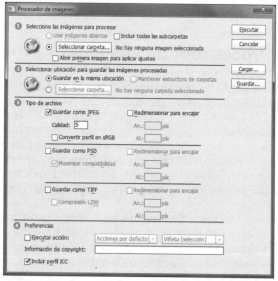

Figura 15.1. Comando Procesador de imágenes.

Nota: El cuadro de texto **Información de copyright** *permite incluir información adicional a la imagen para identificar su autoría o propiedad intelectual.*

Si cree que puede necesitar en más ocasiones futuras los ajustes establecidos en el cuadro de diálogo Procesador de imágenes, nuestra recomendación es que los guarde en un archivo independiente. Para ello, seleccione el botón **Guardar** para acceder al cuadro de diálogo que puede ver en la figura 15.2. Elija un nombre, una ubicación para el archivo y haga clic en **Guardar**. A partir de aquí, cuando quiera recuperar la configuración almacenada, bastará con recurrir al botón **Cargar**.

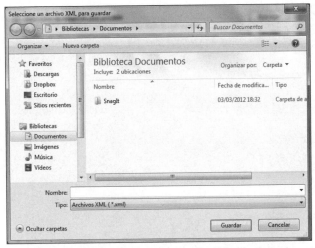

Figura 15.2. Guardar la configuración del cuadro de diálogo Procesador de imágenes.

Nota: Photoshop recurre al lenguaje de definición de datos XML como formato para almacenar los datos del cuadro de diálogo Procesador de imágenes. *Este lenguaje es actualmente un estándar abierto ampliamente utilizado.*

15.3. Panorámicas

No es habitual entre usuarios domésticos disponer de dispositivos específicos para conseguir fotografías panorámicas y debemos recurrir al montaje de varias imágenes para obtener un resultado similar. Un trabajo no siempre sencillo, ni el de obtener las distintas fotografías que compondrán la panorámica, ni la composición posterior en Photoshop.

Con respecto a la primera de las tareas, obtener las distintas tomas de la imagen, lo mejor es colocar nuestra cámara sobre un trípode o sobre algún soporte estable y fijo, e ir girándola de modo que cada fotografía repita una parte de la instantánea anterior, así obtendremos un área de referencia que usaremos para solaparlas posteriormente. En la figura 15.3 podemos ver un ejemplo donde aparecen las tres imágenes tomadas para montarlas en formato panorámico.

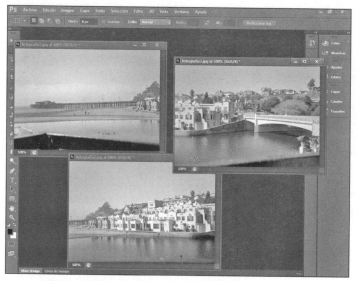

Figura 15.3. Fotografías realizadas para componer una imagen panorámica.

Advertencia: Aunque es obvio, mantenga los mismos ajustes de la cámara a la hora de tomar cada fotografía de la panorámica y evite, siempre que sea posible, utilizar el zoom.

Ya en Photoshop, necesitamos recurrir a la utilidad denominada Photomerge para completar el proceso de creación de una imagen panorámica.

Los pasos serían los siguientes:

1. En el menú Automatizar seleccionamos Photomerge a fin de que el programa muestre el cuadro de diálogo que aparece en la figura 15.4 donde una de nuestras primeras tareas será utilizar el botón **Explorar** para elegir

aquellas imágenes que deseamos utilizar en la composición. Si éstas ya se encuentran abiertas en el entorno de Photoshop, utilice el botón Añadir archivos abiertos para incluirlas automáticamente.

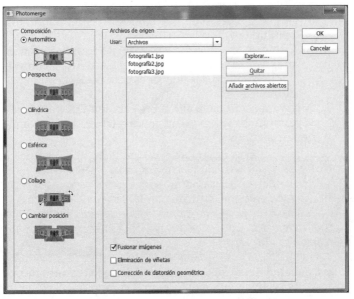

Figura 15.4. Cuadro de diálogo Photomerge.

2. Una vez importadas las imágenes, en la sección **Composición** elija el modelo que mejor se adapte al resultado que desea obtener:

- **Automática:** Por lo general será la opción más rápida y cómoda, ya que será Photoshop el que se encargue automáticamente de analizar las imágenes, buscar zonas de transición y crear la panorámica en formato perspectiva o cilíndrica. Si esta opción funciona correctamente nos podemos olvidar del resto.
- **Perspectiva:** Utiliza una de las imágenes centrales como referencia y estira el resto para crear un efecto de profundidad muy atractivo.
- **Cilíndrica:** Con esta opción las imágenes se componen siguiendo un formato tubular, aunque también toma como referencia una de las imágenes centrales para componer el resto.

- **Esférica:** Ésta aprovecha las nuevas posibilidades de Photoshop para adaptar imágenes planas a objetos tridimensionales, podríamos utilizar este modelo de composición para las imágenes que formen panoramas de 360 grados.
- **Collage:** Modifica la posición o escala de las imágenes originales para que coincidan en el panorama resultante.
- **Cambiar posición:** En este caso, no se aplica ningún tipo de distorsión y Photomerge se limita a componer linealmente las imágenes para poder crear la panorámica.

3. A continuación haga clic sobre el botón **OK** para crear la panorámica según las opciones establecidas y las imágenes seleccionadas.

*Nota: Es posible que al procesar las imágenes Photomerge no tenga información suficiente para llevar a cabo la composición. En este caso, aparecerá un mensaje de error y será necesario hacer el trabajo manualmente desde la **Caja de iluminación** del cuadro de diálogo **Photomerge** como veremos a continuación.*

Si existieran desajustes importantes entre los valores de exposición de las imágenes que forman la composición, active la casilla **Fusionar imágenes** para que el programa se encargue de equilibrar estos valores y generar un resultado homogéneo. Dejarla activada por defecto suele ser la mejor opción.

*Truco: En la lista desplegable **Usar** se encuentra la opción **Carpetas**; con ella podrá indicar el contenido de una carpeta como origen de las imágenes que usará Photomerge para crear la composición panorámica.*

15.4. Hoja de contactos

Entre las posibilidades del menú Archivo>Automatizar se encuentra la utilidad llamada Hoja de contactos II. Con ella podremos crear páginas que nos sirvan de índices para nuestros catálogos de fotos. Estas páginas incluyen tantas miniaturas como deseemos de las fotos seleccionadas. Puede ver un ejemplo en la figura 15.5.

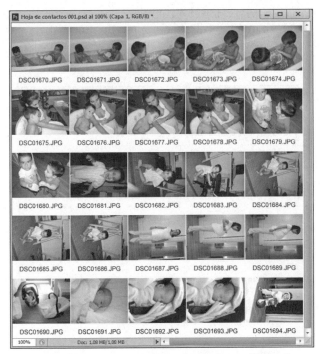

Figura 15.5. Hoja de contactos diseñada con Photoshop.

Tras seleccionar el comando Hoja de contactos II, encontramos el cuadro de diálogo que aparece en la figura 15.6. En su primera sección nos fijamos en la lista desplegable Usar donde la opción realmente interesante sería Carpeta. Al seleccionarla, podremos indicar la ubicación exacta donde se encuentran aquellas imágenes que deseamos mostrar en la hoja de contactos. Pero aún más, si activamos la casilla de verificación Incluir subcarpetas, también estaremos añadiendo a la hoja de contactos el contenido de los subdirectorios.

La sección Documento del cuadro de diálogo Hoja de contactos contiene todas las opciones necesarias para ajustar las dimensiones de la página donde se incluirán las miniaturas de las imágenes seleccionadas. En este apartado es importante elegir la resolución adecuada para conseguir una buena calidad de impresión o visualización.

El siguiente paso será determinar el número de miniaturas por página que deseamos incluir. Este aspecto vendrá determinado por el número de filas y columnas que establezcamos

dentro de esta sección. En cuanto al espaciado entre imágenes, lo normal será utilizar el espaciado automático, pero si
queremos ajustar nosotros mismos estos valores desactive esta
casilla de verificación.

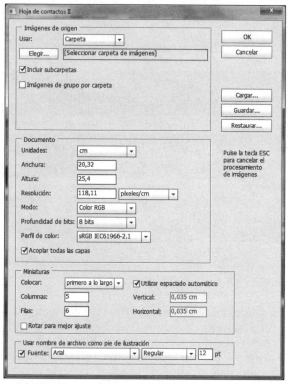

Figura 15.6. Cuadro de diálogo Hoja de contactos II.

Una vez terminado, haga clic en **OK** para generar los documentos que contendrán las miniaturas de las imágenes seleccionadas. El tiempo necesario para completar el proceso irá
en función del número de imágenes seleccionadas.

Nota: *Si desea detener el proceso de conversión de imágenes,
será suficiente con pulsar la tecla* **Esc.**

Índice alfabético